D0582185

Dagmars dochter

Kim Echlin

Dagmars dochter

Uit het Engels vertaald door Anneke Goddijn

UITGEVERIJ DE GEUS

Deze uitgave is totstandgekomen met een bijdrage van The Canada
Council (Ottawa)

Oorspronkelijke titel *Dagmar's Daughter*, verschenen bij Penguin
Oorspronkelijke tekst © Kim A. Echlin, 2001.
Published by arrangement with Westwood Creative Artists Ltd.
Nederlandse vertaling © Anneke Goddijn en Uitgeverij De Geus bv,
Breda 2002
Omslagontwerp Robert Nix
Omslagillustratie ©Paul Winternitz
Foto auteur © Janet Bailey
Lithografie TwinType, Breda
Drukkrij Haasbeek bv, Alphen a/d Rijn
ISBN 90 445 0184 4
NUR 302

Verspreiding in België via Libridis nv, Industriepark-Noord 5a,
9100 Sint-Niklaas

Voor Olivia en Sara

In het Grote Boven opende ze haar oor
voor het Grote Beneden.
In het Grote Boven opende de godin haar oor
voor het Grote Beneden.
In het Grote Boven opende Inanna haar oor
voor het Grote Beneden.
Inanna liet hemel en aarde achter
om af te dalen naar de onderwereld.

De afdaling van Inanna
Soemerisch verhaal, 2000 jaar v.Chr.

Er bestaat geometrie in het vibreren van de snaren.
Er bestaat muziek in de ruimte tussen de hemellichamen.
Bestudeer het monochordium.

PYTHAGORAS

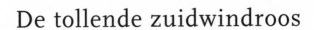

Deel een

De tollende zuidwindroos

D aar. In het donker een mager meisje. Ze bindt een buideltje van oliedoek dicht tegen haar middel en verstopt het onder het jak van blauwe grove wollen stof dat ze heeft weten mee te nemen. Er lekt melk uit haar borsten, die pijnlijk gezwollen zijn. Ze droomt ervan ze af te snijden. Verder is ze gekromd en mager. De huid onder haar ogen is vlekkerig. Ze bereidt zich erop voor om zich te verbergen in het ruim van een schip dat langs de kust op weg zal gaan naar de wijde baai. Ze verstopt zich onder een lier waaraan pas getaande netten hangen. De zee beukt zonder vreugde of wroeging tegen de kust. Daarbeneden heb je mannenschedels. Giftige vis. Gescheurde en in de knoop geraakte netten uit slechte lentes. Het meisje zal zich in het muffe ruim van het thuisschip verschuilen achter vaten vol muziekinstrumenten. Nu wacht ze.

Ze heet Moll, hoewel ze nooit is gedoopt. De vrouw die ze moeder noemde verviel voor haar geboorte tot zwijgen. Haar vader was bekend als visser, met armen zo sterk als een machine. Hij voer op grote trawlers die de zee leegvisten. Wanneer hij terugkwam, kwamen mannen hem zoeken en vroegen: Waar is ons maatje? Ze wilden sparrenbier uit zijn opslagkelder. Het waren zijn vrienden. Wanneer hij dronken was, raakte hij slaags met ze en zocht hij het bed van zijn dochter op.

Moll baarde een blauwe baby, amper beseffend wat haar overkwam. Ze nam het kind mee, bond het aan een steen en liet het in zee vallen. Ze had lange armen en benen en was groter dan de mannen uit haar dorp, te skeletachtig om te laten zien wat iedereen wist, maar wat niemand zei. Ze kon niet lezen. Ze schreef zich op de wereld in met druppels plas in een hol in de bossen. Dit is haar onverhulde waarheid. Zelfs die zal vertroebelen.

Met het meisje in zijn buik verliet het schip de kust van Labrador op weg naar de baai. Ze pakte haar vaders oogsteen en stopte hem in een buideltje van oliedoek dat ze tegen haar onderste rib droeg. Hij zou pas merken dat de steen weg was nadat er een zomer en een najaar en een winter waren verstreken, en toen hij erachter kwam, vervloekte hij de natuur. Inmiddels vreesde Moll de dood niet meer, want dood en sterven vormen juist het hart en ziel van de duisternis.

Door een storm werd Molls schip grofweg in tweeën gespleten en het verging met man en muis. Ook zij verdween in de diepte. Daar tuimelde en draaide ze rond en werd beroofd van alles wat ze ooit was geweest. Haar mond en keel stroomden vol zout water, en in de diepste diepte werd ze een diepere diepte. Daar bereikte ze een stilte die de voorbode is van een nieuwe taal. Ze kwam weer boven zonder haar en bond zich in de ijskoude zoute golven vast aan een vat vol violen. Na twee dagen en een nacht spoelde ze als een blauwe, magere heks aan op de kust van een eilandje in de Baai van Saint Lawrence dat Millstone Nether heette.

Millstone Nether werd aanvankelijk bewoond door uitschot: bastaarden en leeglopers, oplichters en gladjakkers, sommigen doodgewone slampampers, anderen erop gebrand het lot te misleiden. Uit hun paringen was een nederzetting voortgekomen met mensen die leefden van vis uit zee en wortels uit de ondiepe aarde. Er lagen heel wat afgelegen strookjes land in de monding van die machtige rivier, oorden die kwamen en gingen met de getijden en zwakke geheugens, oorden met armzalige havens en verraderlijke ondiepten, die namen kregen als Baaikerkhof of Kapiteins Zorg, en die nooit op een kaart werden aangegeven. Alleen een zeeman die de kust kende als zijn broekzak durfde de lastige westelijke haven van Millstone Nether aan te doen, waarbij hij luisterde naar de golven die tegen verborgen rotsen sloegen. Iets voorbij de noordpunt was nog een klein haventje, bij een rustige zee op één uur roeien van een afgelegen en schaars bevolkt stuk vasteland.

Alle eilandjes in de baai hadden hun eigen karakter, sommige beter geschikt voor hooi, andere voor hout, weer andere voor steenkool. Hun bastaardtalen waren samengeflanst uit Frans en Gaelic, Engels en Montagnais. Na verloop van tijd ontstond er trots in deze van schurken vergeven oorden, en sommige eilandjes boogden op de beste vissers, andere op de beste houthakkers. Millstone Nether zelf kon, weinig praktisch, alleen bogen op muziek. Iedereen daar kon iets ten gehore brengen of een ballade zingen of een beetje dansen. Vissers ontwikkelden een fluittaal om tussen hun eenzame schepen te communiceren als ze op zee waren, en jonge meisjes klapten ingewikkelde ritmes die ze hadden ontwikkeld door naar de eindeloos gevarieerde zang van roodborstjes te luisteren.

Soms vergingen er schepen ter hoogte van de noord-kust en spoelden er uit hun versplinterde romp vaten aan. Er was een jaar dat het vaten meel waren. In het jaar dat de mensen de vette-lente noemden, waren het twaalf vaten whiskey. Maar één wonderlijk jaar zond de wind een vat vol violen in chique koffers. En er kwam nog een vat vol fluiten en gitaren mee. Er zat zelfs een contrabas bij. De mensen van Millstone Nether sjorden de vaten aan land, lieten alles drogen, stemden de instrumenten en leerden ze bespelen. De mensen speelden in elkaars keuken en later bouwden ze in de bossen buiten het dorp een eenvoudig paalhuis met een podium en een dak van boomschors. Op zomeravonden staken ze aan de voorkant van het podium scheepslantaarns aan en kwam iedereen er muziek maken. Op zulke avonden klonk er gelach wanneer ze elkaars riffs in hun liederen verweefden en de muziek hard naar de stilte joegen die de opgaande maat van de neergaande maat scheidt.

Tijdens een droog voorjaar, toen alles dor was door het gebrek aan water, vermaakten de mensen van het dorp zich prima in het paalhuis. Ze dronken flink wat bier en bosbessenwijn, speelden *jigs* en *reels* en zongen. Naarmate de avond vorderde vertrokken de meesten van hen en degenen die bleven waren te dronken om nog een voet te kunnen verzetten. Een klein jochie viel in slaap bij een lantaarn en werd door zijn moeder achtergelaten om door zijn vader naar huis te worden gedragen. Verscholen in het bos boog Moll zich over de bronzen pot die ze uit zee in veiligheid had gebracht. Ze tikte tegen de zijkant en streek met een zware, gladgeschuurde stok langs de rand tot het metaal trillend gekreun en echo's voortbracht. De muzikanten legden hun violen neer en stopten hun lepels in hun zak. Hier klonk een geluid dat ze niet kenden. Ze hadden de sporen gezien die haar skeletachtige vingers en tenen op het strand achterlieten en die door de golven werden weggespoeld. Moll stroopte de bossen en de kust af op zoek naar iets eetbaars. Met niets anders dan haar benige vingers maakte ze kuiltjes waarin ze gestolen aardappels en visgraten verstopte. De mensen lieten haar onverschillig, haar eigen botten en vlees waren meer *prima materia* dan vrouw. Ze bleef op een afstand, ook van zichzelf.

Ze zette haar klankpot neer en liep het paalhuis binnen langs degenen die er nog waren, stuk voor stuk stomdronken. Ze keek neer op het kind dat ineengedoken naast een lantaarn op een bergje geurige, droge dennennaalden lag te slapen, met ogen die achter gesloten oogleden heen en weer schoten. Doorzichtig als een onverwachte storm die op zee opsteekt, schopte Moll de lantaarn om. De trui van het kind vatte vlam, toen zijn broek. De dennennaalden laaiden in één zucht op naar de hemel en omsloten hem in een kleine doodskist van vlammen. Voordat hij wakker kon worden, borrelde zijn huid en smolten zijn ogen weg in zijn geblakerde schedel.

Niemand had haar gezien. Niemand in het paalhuis kon zich iets herinneren. Beneveld hadden ze het vuur uitgeslagen, en niemand merkte dat het kind ontbrak, totdat ze bij het krieken van de dag terugkwamen en zijn gebeente uit de asresten trokken.

Een stom ongeluk, zeiden ze, met hoofden zwaar van wroeging.

Triest-wreed, zeiden ze terug, terwijl ze in hun zuchten naar vluchtige troost zochten. En ze werden nog meer gehard tegen gewoonten die op een eiland in de zee niet mogen worden betwist.

Tijdens de late najaarsstormen vond Moll het lichaam van Meggie Dobs moeder op het strand, de huid gezwollen door het zoute water, en gevangen tussen haar benen een vreemde vis met open bek. Ze streek zegenend met haar handen over de opgezwollen, stinkende paarse huid, maakte wat rommel uit het haar los en brak het slot van een hangertje om haar nek, waar de schakels opgezwollen huid hadden opengehaald. Ze sleepte het zware lichaam zo ver bij de kustlijn vandaan dat het tij het niet kon teruggrissen. Toen liep ze naar de kaden. Ze stond een poos achter een sparrenboom, en toen er een visser aan land kwam met zijn vangst, kwam ze tevoorschijn en vertoonde zich voor het eerst aan iemand. De man staarde naar de broodmagere gestalte, die in haar volle lengte voor hem stond. Voorzichtig wierp hij haar een vis toe; ze liep er met grote stappen naartoe en raapte hem op. Terwijl hij toekeek, ging Moll op haar hurken zitten; ze keek hem met haar uitdrukkingsloze zwarte ogen strak aan, at de vis rauw op en spuugde de lange ruggengraat uit in haar haveloze blauwe jurk. Ze gebaarde dat hij haar moest volgen. De visser liet zijn vangst onafgedekt tegen de krijsende meeuwen in zijn sloep achter en liep op een veilige afstand achter haar aan. Toen hij het verdronken lichaam zag, was Moll verdwenen in de schaduwen.

Die avond werd de kust van Millstone Nether geteisterd door een vroege winterstorm met dwarrelende grijze sneeuw, die de ramen deed bevriezen. De vrouwen zaten dicht op elkaar rond Meggie Dob en haar door het water opgezwollen moeder; ze lag in een vurenhouten kist waarvan het deksel was dichtgespijkerd. Ze herhaalden tegen elkaar wat de visser had gezegd over de broodmagere vrouw die uit het bos was gekomen. Terwijl ze luisterden naar het getinkel van ijs tegen de dunne vensterruiten, vroegen ze zich af hoe een vrouw zonder onderdak de winter kon doorstaan en ze droegen de mannen op om aan de rand van het dorpje een hut voor Moll te bouwen en de deur voor haar open te laten. Dat gebeurde, en hoewel geen mens haar tijdens de korte dagen ooit zag, ontstond er bij de voordeur een hoopje uitgespuugde graten, en aan weerszijden van de deur stonden scheef de schedel van een walvis en de ribbenkast van een klapmuts. De hele winter hing er een bevroren en misvormde kabeljauw boven de deurpost, knobbelig bij de kop, waar een grotere vis hem had gebeten maar niet gedood, en waar de huid en de schubben lukraak waren teruggegroeid. Later, toen hij door de warmte van het voorjaar ontdooide, werden het vlees en de schubben slap, gingen stinken en vielen op de grond, waardoor slechts het skelet als een stuk grof kantwerk overbleef. Eronder ging de deur open en dicht en wisselden dag en nacht elkaar af in een voortdurende cirkelgang.

Ver weg van Millstone Nether maakte de dertienjarige Norea Nolan op een middag voor het café in haar dorpje aan de westkust van Ierland een praatje met een rondtrekkende ketellapper. Toen ze de volgende ochtend wakker werd, merkte ze dat haar rijglaarzen waren verdwenen. Ze wist wie ze hadden weggenomen, drie katholieke vrouwen met een uitgestreken gezicht en een neus als van een ouwe bes. In Norea's jeugd was het gebruikelijk om de schoenen van jonge meisjes weg te nemen en in het veld stiekem onder een slordige hoop stenen te begraven, zodat de meisjes niet konden weglopen. Norea was de oudste van acht, en het enige meisje.

Haar dorp lag tegen de kust aan, een sleetse lappendeken van land die in ongelijke vierkanten was verdeeld. Magere koeien en armzalige schapen zochten bij de slingerende steenwallen beschutting tegen de koude wind en de motregen. In dat druilerige regendecor kon een meisje daarbuiten nooit haar schoenen terugvinden. Nu moest Norea op blote voeten lopen. Ze werd een handige lange spriet en hielp haar moeder Dagmar. Ze sloeg de cyclus van zwangerschappen en bevallingen gade en deelde met haar moeder in dat huis vol jongens een simpel leven, met steelse blikken en strelingen voor het slapengaan nadat al het werk was gedaan, meer als een zus dan als een dochter.

Norea was net zeventien geworden, en haar moeder lag bloedend op bed nadat ze haar laatste zoon had gebaard. De vroedvrouw ving de baby en de placenta op en toen iets met een zacht paarse glans – het slappe, bloederige vlees van de uitgeputte baarmoeder van een vrouw. De vroedvrouw wist niet wat het was en klemde haar kaken op elkaar bij de aanblik ervan. Als het er niet hoorde uit te komen, dacht ze, hoorde het erin, en ze duwde het terug, maar de bloeding kon ze niet stelpen. Norea's moeder trok het oor van haar angstige dochter naar haar witte lippen.

Kind, fluisterde ze, terwijl de tranen uit haar ogen

rolden. Niet huilen. *Tá mé sásta le m'staid*. Ik ben een vogel met een gebroken vleugel. Draag me weg op je schouder. Jij kunt een beter leven krijgen dan ik. Beloof het me. Neem me mee van hier.

Drie dagen en nachten werd het lichaam opgebaard in de voorkamer terwijl er werd gedronken en er verhalen werden verteld, zodat Norea alle tijd had om na te denken. Voordat ze de doodskist van het huis naar het kerkhof overbrachten om haar moeder te begraven, kreeg Norea een woedeaanval in het bijzijn van haar broers, haar vader en de pastoor, in het bijzijn van de buurvrouwen die het lijk hadden gewassen en aangekleed en die nu om beurten weeklaagden voor de overledene en de zorg op zich namen van de moederloze pasgeborene. Taai van geest stond Norea aan het voeteneind van de doodskist en schreeuwde: Laat me alleen met haar, laat me alleen!

Ze wierp haar rode haar achterover en huilde zo hartverscheurend dat de jonge pastoor iedereen wegleidde, de deur dichtdeed en mompelde: Laat haar dan maar even. Ze heeft maar één moeder, en ze moet zich nu in haar eentje zien te redden.

Voor het eerst in haar leven was Norea alleen in een kamer. Zo snel als ze kon en luid genoeg weeklagend om elk geluid te overstemmen stak ze haar handen in de doodskist en trok de laarzen van haar moeders stijve, stille voeten. Ze bond de laarsjes onder haar rok tegen haar benen, sloot het deksel van de doodskist en ging er huilend bovenop liggen. Ten slotte greep de pastoor in;

hij pakte het meisje bij de schouders en maakte de mannen met een hoofdgebaar kenbaar dat ze de kist, waar verder niet meer in gekeken werd, konden wegdragen.

Toen na de begrafenis de helft van de mannen uit het dorp dronken in haar keuken lag en de andere helft dronken in de kroeg zat, liep Norea de heuvel af om te kijken naar de zeehonden die hun kop boven de golven uit staken. Thuis lagen haar broertjes als jonge hondjes dicht tegen elkaar aan in twee grote bedden, maar er was niets wat ze daaraan kon doen. Ze stak haar hand onder haar rok, haalde haar moeders laarsjes tevoorschijn en nam de benen. Ze liep helemaal naar Dublin; overdag lag ze als een schaap dicht tegen een steenwal gedrukt en 's nachts tastte ze met haar voeten af waar de kant van de weg was. Tijdens het lopen praatte ze tegen haar moeder-de-vogel op haar schouder. Als ze een Mariabeeld passeerde dat langs de weg stond, bad ze een haastige rozenkrans. Toen ze vermoeid in de stad aankwam, zag ze voor het eerst hoge gebouwen en ze kon zich niet voorstellen waarom mensen het leuk vonden om in zulke hooggelegen kamers te wonen. Ze was bang dat ze zou worden gevonden en teruggebracht, en daarom knipte ze haar haar af, stal een broek, noemde zich Pippin en monsterde als koksmaat aan op een schip. Ze voerde haar moeder verder mee over zee dan ze ooit voor mogelijk had gehouden, en nadat ze was ontmaskerd, bracht ze de rest van haar reis in een griezelig, stinkend ruim door, hongerig, vies, dorstig en moedeloos. Na achtentwintig dagen voeren ze eindelijk de monding in van een grote rivier die een half werelddeel doorsnijdt.

De zee werpt op wat we verloren hebben; het gescheurde sleepnet, de kapotte roeispaan. Norea zag de rook van het dorpje toen ze ter hoogte van Millstone Nether voor anker lagen en sprong zonder een cent op zak overboord, te bang voor wat er met haar zou kunnen gebeuren als ze aan boord bleef. Voor een meisje met sterke armen was er werk te krijgen, zoals aardappels poten en op kinderen passen, en een poos sliep Norea in de hut van anderen, onder andermans trap. Maar toch had ze geen zin om als hulpje bij een ander in huis te wonen, omdat dat weinig beter was dan wat ze had achtergelaten. Voordat er vier seizoenen waren verstreken, was ze erin geslaagd genoeg geld opzij te leggen om een paard en wagen te kopen. Elke ochtend melkte ze voor dag en dauw de koeien op de boerderij van Meggie Dob en kocht de melk. Tot tevredenheid van die hardwerkende eilandvrouwen reed ze wijsjes spelend op een blikken fluit op de melkwagen rond en leverde melk, eieren en roddelpraatjes af over de halve deuren van het dorpje.

Is de melk vandaag vers? vroeg iemand plagerig.

Als hij nog verser was, zou het gras zijn, zei Norea lachend terwijl ze de rinkelende flessen aangaf.

Norea, riep een ander, Finn zei dat hij eieren had die goedkoper waren dan de jouwe.

Kijk maar uit voor hem, was haar snelle antwoord. Hij jat nog het vel van je botten.

De oude mevrouw Murphy sloeg het goedgebekte,

roodharige, hardwerkende melkmeisje gade en stuurde op een ochtend haar zoon Rory naar buiten om de melk te kopen. Hij had de lege melkflessen bij zich en gooide steentjes tegen een boom. Hij zag haar het paard mennen en bewonderde de manier waarop ze van de bok van de wagen sprong, de leidsels vastbond en de zware melkflessen droeg onder het zingen van:

De tuinmans zoon stond te wachten,
En drie presentjes gaf hij mij, mij –
Het roze, het berouw, het paarsblauw,
En de rode, rode rozenboom,
De rode, rode rozenboom.

Kom op, meiden, waar je ook bent,
Als je straalt in je bloei, bloei,
Wees wijs, kijk uit, blijf vrij van zorg,
Laat geen man je tijm, tijm stelen,
Laat geen man je tijm stelen.

Toen hij voor haar kwam staan, vroeg ze: Wat hangt een jongeman hier 's ochtends rond terwijl de schepen al uitgevaren zijn?

Hij lachte. Ik ben gestuurd, zei hij.

En wat heb je nodig?

Nou, dat weet ik zo net niet. Wat kost de melk?

Norea spotte: Wat weet jij nou van de prijs van melk? Dat regelt je moeder allemaal. Toen gaf ze hem de volle flessen, nam de lege aan en reed verder met haar paard.

Elke ochtend werd Norea opgewacht door Rory Murphy.

Werk jij nooit? vroeg ze.

Pas als jij weg bent, zei hij. Ik zou vroeger aan de slag kunnen als je met me trouwde.

En wat doe je 's avonds?

Ik zing met mijn moeder.

Eerlijk waar?

Ik heb een eigen huis, een mooi erf en een sloep.

Met zijn charmante glimlach zong hij: Ik kan me van alle mensen niemand anders wensen, ik hou alleen van jou, en toen ze wegreed, bleef de melodie van 'De roodbruine deern' haken in het geklepper van de hoeven van haar paard. Heel de dag en heel de nacht dacht ze na en de volgende ochtend stemde ze erin toe met Rory Murphy te trouwen, op voorwaarde dat ze haar eigen naam kon houden en haar melkwijk niet hoefde op te geven. Ze had niet 's nachts brandnetels etend door Ierland gelopen om zich over te leveren aan de eerste de beste welbespraakte jongen die zich aandiende. Ze betrokken zijn huis en Norea stelde zich tot taak om vis te leren pekelen, en hoewel ze er geen aanleg voor had, pootte ze rijen wortels en aardappels op het land achter het huis en deed haar best om ze goed te laten gedijen.

Tijdens lange zomeravonden namen Norea en Rory hun avondeten mee naar buiten en aten onder de ene appelboom naast het huis. Om hem te plagen zong ze voor hem in haar moedertaal.

Wat betekent dat? vroeg Rory, die nooit van het eiland

was geweest en genoot van de exotische verhalen van overzee van zijn bruid.

Laten we gaan slapen, zei Norea.

Slapen is niet wat je wilt, zei Rory, die zijn hand in haar blouse stak. Wat is dat voor liedje?

Niet hier buiten waar levende wezens het kunnen zien, zei Norea, en ze trok zijn hand weg. Als ik het vertel, ga je dan nu met me mee naar bed?

Dat zou ik toch wel doen.

Het is het 'Thuiskomstlied'. Een maand na het huwelijk gaat het dorp in optocht naar het huis van de bruidegom. De bruid rijdt te paard en bij de voordeur staat een fluitist hard te spelen. Als de bruidegom is aangekomen, zingt hij een lied: *Oro, 'sé do bheatha a bhaile, is fearr liom tu ná, céad bo bainne.* Daarna worden alle mannen dronken.

En wat betekent het?

Het betekent: Welkom thuis, ik heb liever jou dan honderd melkkoeien, zei ze, appelpitjes uitspugend.

Hij lachte. Mis je thuis?

Ze keek hem aan en loog: Helemaal niet. Toen liet ze erop volgen: Ik heb liever jou en honderd koeien.

Ze zaten van de avond te genieten alsof hij nooit in nacht zou overgaan, en hun handen raakten elkaar aan met de moeiteloze voldaanheid van geliefden die nog geen ruzie hebben gemaakt.

Acht maanden later overleed de opgewekte Rory tijdens de grote griepepidemie. Norea, die hoogzwanger was, kroop bij hem in bed om zijn koude rillingen te verdrijven en zijn koortsige lippen af te sponzen. Hij bewoog nog een laatste keer en stak zijn handen naar haar uit, en haar tranen vielen over zijn wangen en kleurden zijn gezicht roze alsof hij niet stervende was.

De vrouwen van Millstone Nether schudden hun hoofd en zeiden dat ze nog nooit een lijk hadden gezien waarvan het gezicht zo zijn kleur behield als bij Rory het geval was. Daarna keek Norea goed uit waar ze haar tranen liet vallen. Maar niet goed genoeg.

Na de begrafenis pootte Norea haar aardappels. Toen ze zich over de aarde boog, werd er een medaillon zonder kettinkje over de regels gegooid, dat bij haar voeten terechtkwam. Ze raapte het op uit de vismeelcompost, maakte het open en zag dat er een fotootje van Meggie Dobs moeder in zat. Door de struiken heen zag ze Molls blote, benige voeten, met aangekoekt vuil onder haar teennagels. Norea liep naar haar toe en keek in Molls lege zwarte ogen.

Die is van jou, uit zee, zei Norea, die haar het toegeworpen medaillon voorhield.

Zzz eee! siste Moll. Ze sloeg tegen haar dij en beet op haar lip.

Haar ogen zijn open, dacht Norea, maar haar bewustzijn is gesloten. Toen zei ze tegen de magere vrouw: Wat je vindt, is van jou, in de ogen van de zee.

Moll kroop terug achter de struiken, half afgewend van de hand die haar werd voorgehouden, maar Norea bleef stil staan en door het gebladerte heen luisterde ze naar Molls lippen die klanken vormden uit gekreun: Neu. Ja, zzz eee.

Nadien vertelde Norea hardop kleine verhaaltjes om het geritsel in de bosjes gezelschap te houden. Over de zeehonden thuis. Over het dorpsleven aan de andere kant van de oceaan. Wanneer ze niets kon bedenken, zong ze op haar schorre manier. Als Moll ongezien kreunde, kreunde Norea zacht mee om haar gezelschap te houden. Ze herstelde Molls spraakvermogen. Norea schonk woorden aan de wind voor Molls zielsallene eenzaamheid.

Moll leek maar half te leven, voor meer dan de helft dood. In het daglicht maakte ze zich kenbaar door stil toe te kijken of stenen te gooien. Drinkende mannen zeiden dat ze 's nachts naar haar toe gingen. Ze snoefden dat haar wellust gretig en onverzadigbaar was. Ze vertelden elkaar verhalen over de omhelzing van haar griezelige armen en over haar benen die in een dubbele knoop om hun rug werden geslagen. Ze smiespelden erover dat ze ertegenaan gingen tot ze halfdood van uitputting waren en dat ze dan nog meer wilde. Ze gaven toe dat hun rug een hagel van stenen te verduren kreeg wanneer ze weggingen en ze tilden hun hemd op om elkaar de blauwe plekken te laten zien.

Ze verslindt je, tartten ze elkaar.

Moll zat op haar magere hurken en haar sterke handen

doorzochten de visgraten en de wortels die ze had opge-spaard. Niemand zag haar ooit slapen, maar ze leek altijd suffig. Ze had lege zwarte ogen met donkere kringen eronder en haar doffe huid was verweerd. Norea zei tegen de vrouwen dat ze een kan melk of een kap brood bij Molls deur moesten achterlaten. Als er voor de ziekste van de zieken geen hoop meer bestond, bezochten de vrouwen Moll met ketels kokend water. Moll vertelde vreemde verhalen en zong terwijl ze de ingewanden van een varken uitsmolt en zalfjes maakte voor ledema-ten die verloren konden gaan. Tegen braken zette ze thee van schapenmest of kornoeljebessen, en voor zwerende wonden sneed ze harsdruppels af van de balsemden om als smeersel te gebruiken. Het waren in die tijd huis-middeltjes die alle vrouwen kenden, maar als niets hielp, gingen ze toch naar Moll. Bij haar werden de zieken soms beter.

Daar kwamen ze achter toen een jongen een vishaak in zijn oog kreeg. Hoewel ze erin slaagden de weerhaakjes voorzichtig uit het oog los te maken, wilde de oogbol niet genezen, en naar het idee van de vrouwen was er een stukje metaal in achtergebleven. Ze brachten hem naar Moll. Haar oogsteentje had het formaat van een erwt, de kleur van vlees, met een zwarte spikkel in het midden van zijn spiraal. Sommige mensen dachten dat het een afge-sneden punt van een trompetschelp was, diep uit de oceaan. Het was een levend iets dat moest worden ge-voed. Moll bewaarde het in een bakje suiker en spoelde het af in een zwakke azijnoplossing voordat ze het steentje in het oog van de angstige jongen liet vallen. Het oogsteentje at op wat er in zijn oog zat en redde zijn gezichtsvermogen.

Moll had zo haar nut, en de mensen van Millstone Nether duldden haar net zoals ze de zee duldden die hen voedde en met even grote onverschilligheid vernietigde. Er bestaat een bepaald soort duisternis die dicteert dat we ons afwenden. Molls duisternis was zo. Het is de schaduw waarin de slang een brullende kikker levend verslindt, de wolf de vleugel opeet van een levende eend die zit vastgevroren in het ijs, de kariboe een kankerachtig gezwel meezeult, valt, moeizaam opstaat en weer valt. Dat zijn de niet te bevatten dingen waarmee we oog in oog komen te staan, met een hand voor de mond en afgewende ogen. Moll bewandelde de weg van oude duisternis, en ze verscheen en verdween op een onvoorspelbare manier. En hoewel de mensen niets tegen haar ondernamen, leerden ze hun kinderen om bang voor haar te zijn. Ze wendden hun blik van haar af omdat ze bang waren om te na te denken over wat ze was. Ze spraken nooit over haar en wanneer ze dat wel deden was het op een angstige of onwetende manier. In de diepste diepte was ze beroofd van haar mededogen en van alle menselijk verlangen, behalve haar eigen eindeloze lijden. Er zouden altijd mensen blijven die zich tot haar aangetrokken voelden. Sommigen zouden het overleven en anderen niet. Op een dag zou een meisje zich aangetrokken voelen tot haar duistere muziek, een meisje dat niet bang was om haar oor open te stellen voor het grote

beneden, een meisje dat niet bang was voor de stilte
waaruit alle muziek voortkomt.

Meggie Dob, die graag een kind wilde, huilde elke maand
als ze ongesteld werd. Norea, bolrond van haar eigen kind,
kwam om Meggie haar moeders medaillon terug te geven
en trof haar huilend in de schuur bij de oude stier aan.
Toen Norea Meggies verdriet zag, kon ze niet verhinderen
dat er een paar van haar eigen zoute tranen in het stro
vielen. Ze gebruikte dezelfde troostende woorden die haar
moeder-de-vogel vaak had gesproken: Bekommer je niet
om je problemen; ze leiden altijd tot iets. En ze lette niet
op waar haar tranen vielen.

Toen Meggie de volgende dag naar de schuur ging,
hoorde ze het gehuil van twee baby's naast de oude stier.
Ze groef in het stro en vond een pasgeboren jongetje
weggestopt naast de ruwe vacht van het dier en een
pasgeboren meisje dat kop aan voet met hem lag. Ze
pakte de baby's op en wikkelde ze in haar zachte trui,
en aangezien niemand wist waar ze vandaan kwamen,
waren de mensen uit het dorp het erover eens dat Meggie
Dob ze mocht houden en opvoeden alsof het haar eigen
kinderen waren. Meggie omhelsde Norea, die op bezoek
kwam om de zolen van de piepkleine voetjes van de
baby's te zegenen. De ogen van de jongen waren fel en

zijn gehuil was gebiedend. Hij was perfect gevormd, sterk, en nu al lang van lijf en leden. Het meisje niet. Ze had kromme schouders en haar kleine kin was omlaag gedrukt tegen haar borst. Ze had horrelvoeten en een huidplooi aan haar nek en ellebogen. Haar ogen straalden helder.

Terwijl Meggie de kinderen tegelijk oppakte, zei ze tegen Norea: Het is alsof je ze zomaar voor me hebt uitgehuild!

Geïrriteerd omdat haar eigen baby tegen haar ribben en blaas hotste, antwoordde Norea scherp: Je moet wel een oud wijf zijn om zoiets te zeggen!

Maar ze bedacht zich snel en omhelsde Meggie, die twee armen vol baby's had waarnaar ze zo lang had verlangd, en ze zei: Ik weet niet hoe ze er gekomen zijn, maar het is ronduit geweldig voor je. Hoe ga je ze noemen?

Donal heet de jongen, zei Meggie. Hoewel hij uit tranen voortkomt, zal hij op een dag reuze indrukwekkend zijn. En dit arme kleine visje zal Madeleine heten, naar mijn moeder, die verdronk in de zee.

Norea beviel thuis, in haar eentje, en waakte met diepe berusting over haar stijfhoofdige pasgeborene, in de heilige overtuiging dat ze deze dochter zou verliezen, zoals ze iedereen van wie ze hield had verloren. Toen het kind langer dan een jaar in leven bleef, raakte Norea er eindelijk van overtuigd dat ze zou kunnen blijven leven en noemde ze haar Dagmar.

Dagmar werd sterk en stevig en mocht van Norea doen wat ze wilde. Elke ochtend zette ze haar met de melkwagen af bij de kleine school, maar het kind rende altijd vroeg naar huis om te kijken naar het planten en oogsten. Op een dag gaf Norea haar drie peentoppen om in ondiepe schaaltjes water op de vensterbank te laten wortel schieten. De volgende dag hadden de penen van het kind wortels die in een witte wirwar tot op de grond reikten. Het meisje bracht ze naar buiten en plantte ze vlak bij het huis. Die avond groef ze ernstig drie welgevormde penen op en gaf ze aan Norea.

En waar heb je die vandaan? vroeg Norea.

Ik heb ze laten groeien uit de topjes die je me had gegeven, antwoordde Dagmar.

Norea had geen reden om haar niet te geloven. Ze hakte daarentegen nog drie peentoppen af, gaf ze aan het kind en keek met verwondering toe hoe ze de wonderbaarlijke groei van de vorige dag opnieuw bewerkstelligde. Toen gaf ze haar dochter wat appelpitten en zag in achtentwintig dagen een kleine boomgaard ontstaan.

Norea observeerde haar onnatuurlijke kind en kwam tot de slotsom dat er wat aarde van dit nieuwe land in haar was gekomen die een onnatuurlijke soort had voortgebracht. Norea zou stilletjes tevreden zijn geweest met haar dochters oogst van penen, tomaten en appels, maar de kleine Dagmar wist van geen ophouden en ontdeed steeds grotere stukken tuin van zwarte spar en lariks, maakte een zaaibak en, toen ze ouder was, bouwde ze de eerste plantenkas van het eiland. Bol- en knolgewassen – uien, aardappels – liet ze in één nacht groeien, en de bovengrondse pompoenen en komkommers gunde ze iets meer tijd. In een mager voorjaar was er altijd voldoende om weg te geven. Eén keer slechts vroeg Norea: Weet je hoe je het doet?

Het meisje keek haar aan. Het is makkelijk. Planten willen leven.

Toen wist Norea dat haar dochter haar mysterieuze macht begreep. Ze probeerde Dagmar Iers te laten spreken, maar dat weigerde ze en ze hield het bij de taal van Millstone Nether. Door een uitwisseling van zaden, blikken en woorden creëerden het meisje en de jonge vrouw in hun kleine kamers een bestaan dat was vervuld van mysteries die ze geen van beiden doorgrondden. Elke avond lagen ze zij aan zij in bed, waar Norea haar vingers vervlocht met die van het kind en haar dochter suste met verhalen.

Dagmar stak haar voeten in de lucht, pakte de gespierde dij van haar jonge moeder en zei plagend: Ik heb je been.

Norea sloeg haar handen om een voet van het kind en zei: Ik heb je tenen.

Het meisje schoof weg, kroop naar het voeteneind van het bed, greep Norea's tenen en zei: Nee hoor, ik heb de jouwe.

Toen rolde ze van het bed. Ze verstopte zich eronder en riep: Zoek me dan! Voordat Norea kon kijken, dook Dagmar aan de andere kant op, haalde een paar oude laarsjes tevoorschijn en vroeg: Wat zijn dit?

Dat zijn de laarsjes van mijn moeder, zei Norea terwijl het meisje ze aantrok en ermee over de vloer schuifelde. Berg ze maar weer op als je er genoeg van hebt. Jij krijgt ze wanneer je oud genoeg bent, hoewel je ze nooit nodig zult hebben. Daar zal ik voor zorgen, dat beloof ik je.

Norea was pas twintig, maar ze had een oceaan bereisd, had trouw en rouw gekend met een man en had het leven geschonken aan een dochter. Ze had nog steeds haar begeerte. Als haar dochter 's avonds sliep, sloop Norea soms het huis uit voor een ontmoeting met een visser, wiens vrouw met vijf kinderen te moe voor hem was in bed. Zo kwam het dat Norea, onder een omgekeerde sloep, zwanger raakte van een kind dat, vreesde ze, door de eilandbewoners niet zou worden geduld. Ze besloot dat ze niet zwanger wilde zijn van een kind wiens vader zich niet bekend wilde maken.

Dat dorre voorjaar werd heel de magere oogst bedreigd door droogte. In het dorp vlogen kleine bosvogels, rood-staartgorsen, witkeelgorsen, haakbekken en purpervinken telkens tegen de ramen. Norea en Dagmar stonden bij het krieken van de dag op en vonden ze met gebroken nek op de grond en raapten ze op. Samen bekeken ze de kleurige veren, de starre oogjes, de stijve, roerloze pootjes. Norea genoot ervan de zon te zien opkomen achter haar dochters krullende, donkere haar, dat over de dode vogels viel. Dagmar bekeek de luchtigheid van de vleugels en betastte door de veren heen de tere vogelbotjes die in hun borst zaten. Moeder en dochter groeven kleine grafjes achter hun boerderij, een rij met vogels gevulde bergjes om hen te herinneren aan dit moeilijke, droge voorjaar met zijn rare winden. Samen scheurden ze kleurige vodden tot reepjes en hingen die voor de ramen van de huizen om de vogels te verjagen van hun eigen reflectie. Toen dat klusje erop zat, nam Norea het gezicht van de jonge Dagmar tussen haar grote handpalmen en probeerde zich de helderheid van haar ogen in te prenten. Ze omvatte dit geliefde kind met haar blik en zat erover in wat ze aan moest met het kind dat ze niet wilde.

Terwijl ze daarover nadacht, liep ze met Dagmar hand in hand het veld in, keek naar de dorre appelbomen en zei afwezig: Als we niet gauw wat regen krijgen, komen er dit jaar geen appels. Dagmar keek ernstig naar de hemel. Vanaf de horizon kwamen er donkere wolken aanzetten, en een hevige regenbui doordrenkte het eiland twee dagen en twee nachten lang met fris water. Toen de bui voorbij was, zagen ze de welriekende appelbloesems voor hun ogen opengaan.

Later in die maand met het rare weer zei Norea: Het is

dit jaar te warm voor bosaardbeien, maar het kind zei:
Maak je geen zorgen. Dat komt wel goed.

Tegen de avond was de temperatuur gedaald en hingen de lage planten op de boerderij vol met tere vruchten. Nadien paste Norea op haar woorden wanneer ze in het bijzijn van het meisje iets over het weer zei. Het was tot daar aan toe om groene vingers te hebben, maar de hemel herscheppen ging wat ver. Norea sloeg haar vrijmoedige dochter gade alsof ze een buitenaards wezen was en zei tegen haar: Je zult niet hoeven weglopen zoals ik heb gedaan. Dit zal allemaal van jou zijn als ik in honing verander. Ze verbaasde zich over de sterke geest van het meisje en wendde haar blik af wanneer Dagmar iets ging planten. Het was beter om niet te kijken, want soms meende ze dat ze regelrecht uit de vingers van het meisje nieuwe scheuten en bladeren zag groeien.

Met haar voet schoof Norea de oude visgraten van het pad naar Molls deur. Ze klopte aan en toen er niemand reageerde, duwde ze hem open.

Binnen zat Moll gehurkt op de grond en ze vroeg: Wat kom je doen?

Norea zei: Ik moet iets kwijt.

Moll keek op met haar lege zwarte ogen. Ze zei: De beste baby's zijn liefdeskinderen.

Ik kan dit kind niet ter wereld brengen. Die eiland-bewoners...

Stop het in een mandje, zet het bij zijn pa op de stoep. Geen mens komt in een gespreid bed.

Hij zal het nooit erkennen.

Vertel mij wat nieuws.

Alsjeblieft.

Moll richtte zich in haar volle lengte op en zei: Breng me kokend water.

Norea liep terug naar huis en zette de waterketel op. Ze bracht Dagmar naar Meggies huis en vroeg of zij die nacht voor het kind wilde zorgen. Terwijl ze terugliep naar huis om water te halen, praatte ze hardop. Rory, zei ze in de stoom van de ketel, als je was gebleven zou ik niet in zo'n parket zitten. Ze hoorde de ketel fluiten en om te voorkomen dat haar gedachten zouden gaan malen, bracht ze het kokende water snel naar het kleine hutje waar Moll gehurkt op de grond in een mand zoetgeurende bloesems zat te graaien. Moll schonk een kroes water in, brak wat bloesem, stengel en blad van het boerenwormkruid af en roerde ze erdoorheen. Met een handgebaar stuurde ze Norea naar een hoop oude vodden in een hoek en gaf haar de thee.

Een bitter brouwsel voor wie het pad bewandelt, zei Moll. Wees er niet rouwig om als je verliest wat je nooit meer zult hebben.

Norea bracht de kroes naar haar lippen en dronk van het hete, zoetgeurende drankje. Ze slikte en dronk nog wat en slikte tot het helemaal op was en toen wachtte ze.

Het gif verspreidde zich warm en heftig door haar lichaam; doodsbang stak ze haar vingers in haar keel en probeerde kwijt te raken wat nog in haar maag zat. Zweet parelde op haar huid en krampen golfden van haar maag tegen haar hart en omlàag naar haar schoot. Ze klapte dubbel alsof ze doodging, braakte toen naar opzij en deinsde terug voor de samensnoerende pijn die vanuit haar ingewanden kwam opzetten. Slap en naar adem snakkend lag ze achterover. Toen kwam het bloed. Aanvankelijk merkte ze het niet. Ze braakte geel schuim en wanhopig draaide ze zich op handen en voeten en zakte ineen tot een kruipend schepsel. Omdat ze zo zweette, liet ze haar hoofd hangen en zag het bloed tussen haar benen en voelde ze in haar baarmoeder de pijnscheuten en de krampen waardoor ze werd overvallen. Molls koude hand trok haar ondergoed uit. Ze viel op haar ellebogen, haar wang plat tegen de vieze vodden en ze smeekte met zurige, droge lippen om genade, maar de krampen bleven in golven door haar lichaam slaan en haar maag bleef zich omdraaien en het bloed bleef uit haar stromen totdat ze op de vloer slap in elkaar zakte.

In haar ijltoestand zag ze alles wat ze was geweest en wat ze zou worden. Ze zag zeehonden en sneeuw. Ze zag haar eigen moeder die op vogelpootjes en met gebroken vleugels haar evenwicht probeerde te bewaren. Ze zag Rory's mond zingen en Dagmars lippen die zich stevig om haar gezwollen tepel sloten. Ze zag Molls beenderen.

Moll keek onberoerd naar de kleur van haar huid, naar haar gezwollen tong en haar levenloze gesloten oogleden.

Moll luisterde naar haar gekreun en gemompel: Mijn buik, mijn rug. Ze luisterde en toen ging ze naar haar met rulle aarde bedekte hol in de jachtwal om naar de nacht te staren.

De tweede middag kwam Meggie Dob Norea zoeken, maar Moll gooide stenen om haar weg te houden. Meggie wrong zich toch naar binnen en zag Norea als een vies bloederig hoopje op de vodden liggen.

Wat heb je met haar gedaan? vroeg ze Moll.

Wat hebben bloemen gedaan? Wat heeft de duisternis onder de sloep gedaan? Vraag niet waarom! snauwde de magere vrouw die in de schaduw tussen Norea en de deur hurkte. Gooi haar in zee. Hier is ze niet nodig.

Hou op! schreeuwde Meggie. Ze duwde Moll opzij, ging bij Norea's hoofd zitten en beval: Haal water.

Moll haalde een emmer water, waarmee Meggie het bloed en het braaksel van de verzwakte vrouw wegwaste en haar lippen bevochtigde. Ze nam haar hoofd op haar schoot, streelde haar gezicht en zei: Norea, je kunt niet doodgaan. Je Dagmar huilt. Waar is haar moeder?

De mond van de jonge vrouw ging open, haar ogen bleven dicht. Drie dagen en nachten zaten Meggie en de andere vrouwen van het dorp om beurten in Molls hutje bij Norea, deden haar lippen uiteen en voerden haar melk, soep en melassethee, fristen haar op als ze weer had overgegeven, bevochtigden haar tong, masseerden haar armen en benen en streelden haar haar. Eindelijk had het gif zich door haar bloed en spieren verspreid, en Norea mompelde, bewoog eerst een vinger, toen een teen en vroeg naar haar dochter. Het gif bewerkstelligde twee dingen. Het dreef het kind af en het maakte Norea volledig en voorgoed blind.

Toen ze eindelijk kon opstaan om naar huis te gaan, kon ze haar weg niet alleen vinden, maar moest geleid worden.

Vanaf die dag leefde Norea buitengesloten van het licht, of het nu midden op de dag was of een nacht met volle maan. Met haar tastende vingers streelde ze Dagmars gezicht en was bang om te huilen. Ze droeg het kind op om haar keer op keer door het huis te leiden terwijl ze de stappen telde en zich de hoeken inprentte. Toen ze in huis de weg kende, gingen ze verder met het erf achter het huis. Ze legden stenen neer zodat ze tikkend met een stok haar weg kon vinden langs de rand van de tuin, naar de plantenkas en terug. Norea leerde Dagmar om alles daar neer te leggen waar zij het weer kon vinden. Ze zette de flessen op een vaste manier in de melkwagen en nam Dagmar mee tot ze er zeker van was dat het oude paard zijn route zou volgen en haar weer zou thuisbrengen. In het vroege ochtendlicht kwamen de vrouwen verlegen uit hun huis om hun flessen te halen. In het begin hadden ze medelijden met haar, maar Norea begon grapjes te maken. Ik zie door de bomen het bos niet meer, zei ze. Wat zie jij eruit vanochtend, net uit bed? Ze plaagde de vrouwen tot ze vergaten dat ze blind was. Met haar voetzolen prentte Norea zich de vorm van het eiland in. Ze prentte zich in welke wind in welk jaargetijde waaide, en ook de geur van elk huishouden.

Al snel kon ze overal naartoe lopen met haar kleine stok en lachte op haar oude manier om haar blindheid te verhullen. Ze hield haar vinger in het kopje als ze thee inschonk voor vriendinnen en ontwikkelde een goed oor voor hun stemmen en een goede neus voor hun geuren, als een wezen dat onder de grond woont. Mensen dachten niet meer met verlegenheid of medelijden aan haar; er waren andere dingen om zich zorgen over te maken. En hoewel Norea nooit een kwaad woord over Moll zei, werden de mensen van Millstone Nether weer huiverig voor de magere vrouw en brachten ze hun zieken niet meer naar haar toe.

Moll liet zich echter niet op een zijspoor zetten. Ze verscheen op de kust, waar ze op vis wachtte als de schepen binnenkwamen. Ze zat gehurkt in de schaduwen van het paalhuis te luisteren wanneer de mensen bijeenkwamen voor de muziek. Ze drukte haar smoezelige gezicht tegen de ruiten van de plantenkas als de jonge Dagmar daar alleen aan het werk was. Maar als Norea haar in het struikgewas hoorde ritselen als ze met haar dochter in de tuin werkte, zei ze: Maak je geen zorgen, Dagmar. Ze wil jou niet, alleen wat je zou kunnen worden.

De legendarische muziek van Millstone Nether had een duidelijk afgebakend centrum, maar geen duidelijke grens. De beste musici van het eiland beschikten, net als de zee, over het vermogen om in de uitgestrektheid die ene noot te vinden en tot leven te brengen en hem de vorm te geven van een bestaan vol beelden en modulaties, rusten en climaxen. Uiteindelijk lieten ze hem terugzinken in de stromingen waaruit hij was voortgekomen – muziek die zo diep werd gehoord dat ze helemaal niet werd gehoord.

Donal Dob en zijn beste vriend Colin Cane waren als alle andere eilandjongens, 's zomers ravotten ze en 's winters sprongen ze van ijsschots naar ijsschots. Al in de wieg hoorden ze de muziek van Millstone Nether en ze namen hun eerste instrument al jong ter hand. Tijdens een feestje in de keuken klom Donal op een kruk, sloeg een klein handje om de lange hals van een contrabas, pakte een strijkstok in zijn vuistje en kraste zijn eerste klanken. Hij smeekte Meggie om een contrabas voor hem te vinden, en dat deed ze. De jongen werd gefascineerd door de lage klanken van het instrument – vooral door de C-snaar – zoals hij nog nooit door een menselijke stem was gegrepen. Hij speelde de hoge en lage tonen, verkende de reikwijdte en het vermogen van het instrument. Thuis, in de keuken, bespeelde hij op zijn driepotige kruk de contrabas voor zijn moeder en zus. Zijn instrument gaf hem het gevoel dat hij een kamer kon vullen. Hij maakte zijn handen krachtiger en strekte ze om strelend en plukkend enkele noten en omvangrijke akkoorden te laten klinken. Steeds meer herkende hij zichzelf in de het schrijdende glissando van de grootsheid van zijn contrabas, in de wegsnellende donkere noten van zijn dans voor geliefden, in de atletische vormen van zijn lichtvoetige, genotzieke jongeman.

De ouders van Colin Cane waren jong overleden, toen hun schip in een plotselinge storm tegen de rotsen was geslagen. Er waren geen foto's van hen. Zijn familieleden ruimden hun kamers op en gaven de jonge Colin de oude viool, een gitaar en de kapotte piano die van de familie waren. Colin kon een melodie spelen op elk instrument dat ergens rondslingerde en had altijd een paar lepels op zak. Hij speelde om zich een onderdeel te voelen van elk huishouden in het dorp waarin hij werd opgenomen totdat hij eindelijk oud genoeg was om in zijn eentje terug te keren naar het huis van zijn ouders. Op de viool kraste hij erop los, omdat hij ervan overtuigd was dat hij zijn moeders lieftallige stem erin kon horen, en hij beukte op de oude piano omdat hij zijn vaders ritme en streling wilde voelen. Zijn aard was als die van een golf, afwisselend rustig en turbulent, kalm en kalm bewegend. Omdat hij zich al jong bij elke verandering had neergelegd, beschikte hij over een natuurlijke plooibaarheid waarmee hij zich over rotsen en zandbanken kon bewegen die door hun omvang onveranderlijk waren. Wanneer hij de muziek van Millstone Nether speelde zoals de oude mensen dat deden, voelde hij zich milder gestemd over tegenslagen, en hij maakte zich de traditionele wijsjes eigen en reeg ze aaneen tot medleys. Er was geen muzikant op het eiland die niet met Colin kon meespelen, zo vertrouwd waren zijn liedjes.

Zijn vriend Donal Dob was echter meer als de rode rotskliffen die zich aan de noordkant van het eiland verhieven, door de wind en de golven tot grillige vormen gehouwen die een lust voor het oog waren met hun veranderlijke schaduwen en weerkaatsend licht. Hij voelde zich zelden thuis in de traditionele muziek. Hij deed meer zijn best dan Colin om de precieze klanken en ritmes te spelen die hij hoorde en hij werd door andere musici zeer bewonderd om zijn jeugdige meesterschap. Hij was nooit tevreden, maar ook hij keerde altijd terug naar de traditionele noten en wilde dolgraag geloven dat zich ergens in hun onbedwingbare kern de sleutel tot zijn rusteloosheid bevond, als hij maar goed genoeg zocht. Hij begreep niet dat het niet muziek was die hij zocht, maar virtuositeit. Toen hij ouder werd, meende hij dat hij niet was voorbestemd voor de reels en Schotse dansen van Millstone Nether, maar voor muziek die van elders afkomstig was.

Madeleine Dob, met haar kleine, wijkende kin, haar afhangende schouders en gevliesde ellebogen, werd niet erg groot. Ze verzamelde bosbessen, die ze fijnmaakte tot een pulp, waarmee ze met een gespleten stokje tekeningen van blauwe koeien maakte op de stallen in haar moeders schuur. Wanneer het seizoen voor bosbessen voorbij was, ging ze naar Norea en vroeg bieten om een diep rood te maken. Ze schilderde aan één stuk door rode en blauwe voorstellingen.

Nou, zei Meggie Dob tegen het kind, je hebt je twee passies gevonden.

Wat betekent dat?

Ik bedoel rood voor vuur en blauw voor liefde – daar is alles tot te herleiden.

Maar ik wil andere kleuren.

Die winter kocht Meggie kleuren voor het meisje en al gauw raakten elk plekje van haar moeders kleine paalhuis bedekt met haar tweedimensionale tekeningen. Ze gaf haar eigen versie van het leven op Millstone Nether: schaatsfestijnen, zomerse vuren om afval te verbranden, het poten van aardappels en mannen die visnetten van schepen sjouwden. Elk schilderij kreeg een merkwaardige titel en die woorden penseelde ze langs de rand ervan. Op haar schilderij van een man die van een schip werd geblazen weefde ze in de rand *Zorgeloos* en op een tafereel van een erf vol geiten schreef ze *Verdwaalde paarse koe.*

Als zich ooit een conflict voordeed tussen intuïtief of bewust kiezen wat ze zou schilderen en hoe, won haar intuïtie het. Haar honden vlogen en haar winterse bomen waren afgeladen met fruit. Er waren vissen in de wolken en baby's onder de zee. Ze kon niet zeggen waarom. Toen haar een keer werd gevraagd waarom ze een hoofd met twee gezichten tekende, antwoordde ze: ik had geen twee vellen papier.

Hoewel Madeleine niet mooi was, zei Meggie altijd tegen haar: Je ogen zijn vervuld van het licht van de volle maan; dat is genoeg schoonheid voor wie dan ook. Ze bleef verf en papier opsnorren voor haar vondelingdochter, gaf haar lege blikken voor haar kwasten, zette een tafel voor het raam van haar kleine huisje en liet haar dochter haar eenzame meisjesjaren vullen met die griezelig felgekleurde tweedimensionale schilderingen.

Het was een jong eiland, waar kunst en leven hand in hand gingen. Vrouwen weefden vloermatten van elk materiaal dat voorhanden was, mannen legden een bepaald idee in het houtsnijwerk waarmee ze een tak versierden die als wandelstok moest dienen. Op het eiland werd gedacht dat het leven niet mooi kon zijn zonder kunst, en ook dat kunst niet kon floreren zonder leven, vandaar dat er altijd iets verfraaiends werd gemaakt wanneer er extra tijd of materiaal was. Maar Madeleine versierde geen gereedschap, maakte geen matten en sneed geen wandelstokken. Haar kunst waagde het om het leven op haar eigen manier te beschouwen. Zonder er een moment bij stil te staan week ze af van de traditie. Ze bewaarde haar werk thuis en gaf slechts af en toe een klein schilderij weg of deed een schilderijtje cadeau bij een blik geitenkaas voor iemand die ziek was of voor een bejaarde die niet buiten kwam.

In hetzelfde strenge voorjaar waarin Donal besloot om Millstone Nether te verlaten, overleed Meggie aan koorts. Madeleine maakte een schilderij van het kerkhof waar ze voor het laatst haar moeders vurenhouten kist had ge-

46

zien, en hoewel het een sombere dag met dichte mist en koude regen was geweest, vertoonde haar schilderij de felle geel- en groentinten van het late voorjaar. Langs de rand van het graf stond een rij rode tulpen en boven de ongemarkeerde berg pas omgespitte aarde liet een robuuste wilde appelboom rijkelijk zijn roze bloesems vallen. Treurende mensen of een geestelijke ontbraken, er was alleen een kleine vrouw met felgekleurde brokaten laarsjes aan, die op een tak boven in de boom zat. Madeleine noemde het *Mijn moeders begrafenis* en hing het op naast het schilderij dat ze had gemaakt van haar broer, die contrabas speelde met twee vioolspelende vissers tijdens de wake in hun keuken, nadat de vurenhouten kist in de aarde was verdwenen.

Donal overreedde Colin om met hem mee te reizen over zee. Ze werkten als scheepsknecht, en na vele maanden, toen ze de steden in het binnenland hadden bereikt, kwamen ze tot de ontdekking dat ze in oude stadjes geld konden verdienen te midden van het roet, het vuil en de mensenmenigte door te musiceren op straathoeken met ruwe kasseien. In steden waar mannen geen lichamelijk werk meer deden om aan de kost te komen waren hun verweerde huid en grote gespierde armen een streling voor het oog, en hun dansjes en wijsjes een streling voor het oor.

Vindingrijk en dapper als de twee jongens uit Millstone Nether waren, buitten ze het nieuwe van hun muziek uit, en al werkend drongen ze dieper door in Europa, waar hofleven en kerkleven muziek hadden voortgebracht die te gecompliceerd was voor muzikale invallen na zware dagen op zee. Ze kwamen in contact met muziekstudenten wier taal ze niet spraken, maar die dol waren op hun dansachtige wijsjes en de ouderwetse buigingen die de jongens maakten. Ze ruilden muziek tegen muziek.

Colin bracht vluchtige nachten door in pakhuizen en kleine theaters, waar jonge musici experimenteerden met elk geluid dat ze konden opnemen voor dansers die hun lichaam hoekig bewogen. Hij slorpte het idee op van een wereld waarin *bhavas*, blues en twaalftonigheid allemaal uit dezelfde bron voortkwamen. Hij luisterde met een oor dat van jongs af aan ruimschoots met ritmes en balladen was verwend. Hij verzamelde honderden opnames, hoewel hij er weinig voor voelde om deze muziek zelf onder de knie te krijgen.

Donal probeerde vingervlugheid op te doen voor de veeleisendheid en discipline van de prelude en de fuga. In het strenge contrapunt van de oude muziek van Europa meende hij te hebben gevonden wat hij zocht. Hij wilde een nieuwe contrabas en vond een schitterende zeventiende-eeuwse Maggini. De bejaarde virtuoos aan wie hij toebehoorde bracht naar voren dat de bas ongetwijfeld de middelen en het talent van zo'n jonge man te boven zou gaan. Mensen, zei hij, is slechts één enkel leven beschoren. Mijn instrument is gekleurd door een rijkdom aan ervaring die geen sterveling kan evenaren.

Hij gaf Donal toestemming om hem één keer te bespelen. Hij zag de jonge man de hals van de bas strelen en luisterde hoe hij Bottesini's 'Allegretto Capriccio' speelde. Met verdriet voorvoelde hij dat zijn prachtige, door tijd beschaduwde instrument een waardige nieuwe beschermer had gevonden. Donal voelde de kracht van de lage tonen door zijn lichaam vibreren als een ademtocht die hem deed herleven. In de diepten van de Maggini hoorde hij dingen die de meeste oren niet kunnen onderscheiden. Zijn wezen en schoonheid kwamen tot bloei in de onwaarneembare laagste tonen, als het onhoorbare gebas van een olifant. De avond dat de oude man het instrument eindelijk aan Donal gaf, nam hij hem mee om met Colin en een paar jonge studenten in een rokerige bar onder een restaurant te gaan musiceren. Hij speelde een geïmproviseerd stuk voor hen, dat hij 'Narcissus' noemde. Bij het ochtendgloren kwam een verontruste vrouw uit het gebouw van de virtuoos de kelder binnenrennen om de studenten te vertellen dat de oude man de hand aan zichzelf had geslagen. De politie was op zoek naar Donal en de Maggini.

Colin vroeg aan Donal: Is hij echt van jou?

Hij heeft hem aan me gegeven.

Laten we dan gaan voordat iemand besluit dat het niet zo is.

De klokken van de kathedraal luidden pas een uur nadat de twee jonge mannen op weg waren gegaan naar de dichtstbijzijnde haven, op zoek naar een schip dat naar het westen zou gaan. Het was reden genoeg om terug te gaan. Toen ze op de oceaan zaten en 's avonds over het dek liepen, moesten ze steeds vaker aan thuis denken. Donal zei tegen Colin: Herinner jij je het meisje van de plantenkas? Denk je dat ze al getrouwd is?

Colin antwoordde: Geen idee. Ik ben benieuwd of er deze winter nog iemand is bevroren op de ijsschotsen.

Na hun omzwervingen werden ze hartelijk verwelkomd door de bijzondere musici van Millstone Nether, die alles wat ze goed vonden overnamen van de reizigers en verwierpen wat hun niet aanstond. Wat hun beviel waren Colins opnames van muziek uit de bergen en de *bayou*, afgelegen plaatsen zoals waar zijzelf woonden. Hij speelde muziek uit abdijkerken en van het hof voor ze. Ze bewonderden de muziek, maar wilden die niet spelen. Ze moesten weinig hebben van zijn piano met bouten en gummetjes tussen de snaren.

Hij is hooggeleerd geworden, zei iemand voor de grap.

Hij neemt ons in de maling, zei een ander. Dat is geen muziek.

Daarom nam Colin zijn viool ter hand en fiedelde 'Sandy McIntyre's Trip to Boston' alsof hij nooit was weggeweest. De vissers sloten zich bij hem aan met hun violen, gitaren en lepels.

Donal was meer veranderd door hetgeen hij had geleerd en ging vroeg weg van het feestje in de keuken, omdat hij werd geplaagd door de rusteloosheid van een jonge man die opgesloten zit tussen vier muren. Hij ging

Dagmar opzoeken bij de blinde Norea. Ze spraken over het weer, de zee en planten, en wat hij niet kon zeggen, speelde hij voor haar. Tot zijn grote genoegen haalde Dagmar een viool tevoorschijn en speelde met hem mee.

Na de dood van haar moeder stemde Madeleine Dob toe in een huwelijk met Everett, een arme visser die dertien jaar ouder was dan zij en zo krenterig dat geen vrouw op het eiland hem wilde hebben. Het enige wat hij graag deed was roken.

Hij kwam op bezoek en zei tegen Madeleine: Je bent alleen. Als ik bij je kwam wonen, zou je dan het huishouden voor me willen doen?

Madeleine zei: Ik wil met je trouwen als we evenveel aan verf als aan tabak uitgeven.

Er waren mensen die zeiden dat Madeleine maar een armzalig leven leidde met de zuinige kleine man die niet genoeg water wilde halen, die gierig was met de lampolie en het vuur zo weinig opstookte dat er de hele winter lang ijsbloemen aan de binnenkant van de ramen stonden.

Als een bemoeial er iets van zei, antwoordde Madeleine: We kunnen het samen best vinden.

Op dagen dat haar handen te stijf waren, zorgde Everett voor het melken. Op dagen dat hij geen zin had om te vissen, bleef hij thuis en rookte. De binnenkant van het

ooit zo keurige huis werd een donkere janboel van op-
gestapelde vuile vaat en kleren die zowel naar tabak als
verf roken. Maar de weinigen die ooit binnenkwamen in
die bedompte kamers zagen ook Madeleines schilderijen
van allerlei gelukkige taferelen in Millstone Nether aan
alle wanden en in rijen op vensterbanken en tafels: de
rijke vangst van de vissers, Norea's melkkar die door het
dorp klepperde, de heldere stroom smeltwater over de
rode rotsen in het voorjaar, vrouwen die een kind aan de
hand hadden, ijsschotsen op zonnige dagen, de gele,
witte en rode sloepen die omgekeerd op de kust lagen,
koeien die aan struiken knabbelden, papegaaiduikers die
langs de kust nestelden, katten onder struiken.

Everett sloeg zijn kleine, gevliesde vrouw gade als ze
haar kwast met oude lappen tussen haar vingers bond
wanneer haar stijfheid te erg was en hij bemoeide zich
nooit met wat hij haar geklodder noemde. Zij keek met
een zekere genegenheid voor het vertrouwde toe wanneer
hij rookte en maakte geen bezwaar tegen de kou, de
duisternis of het binnenshuis roken. Ze verhinderden
elkaar niet om nog completer te worden wie ze waren
en hierdoor functioneerde hun huwelijk beter dan menig
ander. Het was een genoeglijk stilzwijgend iets, een over-
eenkomst die berustte op ongezegd laten. In deze be-
woonde stilte was Madeleine vrij om door te gaan met
schilderen en haar uitwisseling met zichzelf.

Norea leerde Dagmar de jigs die ze uit Ierland kende, handen recht langs de zij, alle bezieling in de vlugge voeten. Maar Dagmar hield er niet van haar handen omlaag te houden, en ze liet de andere meisjes ingewikkelde klapritmes uitvoeren als ze in kringen dansten, de een binnen de ander, draaiend, slingerend en klappend alsof ze één enkele zijderups waren die zijn eigen doodskleed spon. Ze trokken naar het paalhuis en stampten, klapten en staken elkaar de loef af, en wanneer het ritme van hun lichamen omlaag zweefde naar het dorp glimlachten de ouderen. Voor de jongens was het een sport om vanuit de bosjes naar ze te kijken zonder een schop te krijgen van de harde schoenen die voorbijflitsten of een belediging naar het hoofd geslingerd te krijgen van de scherp van de tongriem gesneden meisjes die deze schoenen aanhadden. Omdat Madeleine niet kon dansen of klappen, deed ze niet mee. Maar ze keek toe en schilderde. Ze maakte honderden schilderijen en legde al hun passen en alle klapritmes vast voor eenieder die ooit de tijd zou nemen om ze te bekijken. En hoewel het dansen altijd plaatsvond na het invallen van de duisternis, schilderde ze de meisjes in weidse wervelingen van geel licht.

Toen Donal weer thuis kwam wonen, was Madeleine haar nieuwe kazen aan het maken. Voor elke reeks schonk ze zestig liter afgeroomde melk uit en zette die om zuur te worden in de schuur terwijl Donal oefende. Hij werkte zich door zijn geliefde Bottesini heen terwijl zij haar grote ketel boven het vuur hing om warm te worden. Ze roerde er wat stremsel doorheen om de wrongel op te nemen, en Donal werkte aan Mozarts 'Per questa bella mano'. Ze hing de wrongel in een doek op en drukte de wei eruit. Ze luisterde naar hem en strooide wat viszout door de zachte wrongel, waardoor die in heel kleine stukjes uiteenviel. Daarna droeg ze de wrongel naar een lange houten plank naast het huis. Donal zette zijn contrabas weg, ging naar buiten en keek toe hoe ze de wrongel in een ronde pot zonder bodem stortte, die vanbinnen was bekleed met een meelzak en op een platte steen werd gezet. Hij zag dat ze de wrongel met haar knokkels gelijkmatig omlaag drukte en de randen van de doek eroverheen sloeg.

De kaas zit dit jaar vol met jouw muziek, zei ze terwijl ze een houten deksel op haar vorm zette, er nog twee zware stenen op legde en ging zitten om uit te rusten.

Het is warm, zei Donal. De kaas zal groen uitslaan.

Hij had zijn dag niet. Hij probeerde zijn instrument naar zijn hand te zetten om er lekker op te kunnen spelen, voortgedreven door iets vanbinnen dat hij niet begreep. Hij hoorde wat geen ander hoorde. Zijn muziek gaf hem macht. Met rimpels in zijn voorhoofd wendde Donal zich tot Madeleine en zei over de rijpende kaas heen: Ik wil met Dagmar Nolan trouwen.

Madeleine vroeg: Heb je al met haar gesproken?

Donal zei: Nee. Ik zit bij haar en haar moeder. Ik speel

voor ze. Haar ogen stralen wanneer ze mijn muziek hoort. Ik wil haar een jurk geven. Wil jij een jurk voor me maken?

Madeleine lachte. Een trouwjurk?

Ja.

Maar het is een ondernemend meisje. Ze kan alles beter laten groeien dan ieder ander op het eiland. Sommigen zeggen dat ze bepaalde gaven heeft.

Ik weet niets van haar gaven, zei Donal. Ik vind dat ze mooi haar heeft. Ze zegt dat ze van mijn spel houdt. Maar ik kan geen woord uitbrengen als ze in de kamer is.

Ga dan een wandeling langs de kust met haar maken.

Donal stond op en liep langs de plank waarop de kaas stond.

Wil je een jurk voor me maken? vroeg hij nog eens. Als ze van me houdt zal ze mijn hart horen.

Madeleine schudde haar hoofd. Hij was koppig en zelfverzekerd. Zijn muziek werd met de dag verinnerlijkter en melancholieker. Hij eiste dienstbaarheid aan zijn talent, maar wilde het talent van een ander niet erkennen. Maar ze hield van hem en elke avond nadat haar vee was verzorgd ging ze bij de lamp zitten naaien met haar stijve handen. Ze maakte een strapless jurk van zwarte zijde. Hij was getailleerd en viel diagonaal gesneden in soepele plooien op de grond en had een onzichtbare ritssluiting aan de zijkant. Na zeven avonden had Madeleine hem af; ze wikkelde hem in schoon papier en vouwde hem netjes in een doos op. De bodem van de doos had ze met schoon kastpapier belegd. Toen legde ze er een paar antieke danslaarsjes bij met kleine, mooi gevormde hakken en lange vierkante neuzen. Op het zwarte brokaat lagen in reliëf dwarrelende blaadjes van goud, donkerrood en koningsblauw, en langs de schacht van de laarsjes liep een boog van acht ronde gouden knoopjes. Verpakt in de hutkoffer van Meggie Dobs moeder hadden ze de reis over de zee gemaakt. Er hoorde een lange knoopjeshaak bij, met een bewerkte greep van puur zilver, waarop een wirwar van kleine wijnranken en rozen prijkte. Het waren voorwerpen uit een andere tijd. Meggie Dob had wel eens op deze speelse laarsjes gedanst, maar Madeleine met haar klompvoeten had ze nooit aan gekund, hoewel ze dol was op hun aparte kleuren. Ze sloeg nog een stuk papier over de laarsjes heen en legde de knoopjeshaak ernaast, sloot de doos en bond hem dicht met een stuk twijndraad. Toen gaf ze hem aan Donal, die hem aanpakte en er niet eens in keek.

Liefde is beter in mooie woorden uit te drukken dan in zwijgende oprechtheid, zei ze tegen Donal.

Van onder zijn bolle voorhoofd antwoordde hij: Wat weet jij nou van de liefde; je woont hier met je man, de koeien en een kudde geiten.

Donals contrabas harmonieerde niet helemaal met Dagmars viool, hoe zorgvuldig hij hem ook stemde. Het zat hem dwars. Toen ze op een avond samen hadden gespeeld vroeg hij: Klonk dat goed in jouw oren?

Ze lachte en zei luchtig: Wanneer je ook speelt, ik vind het altijd goed klinken. Je bent een piekeraar, dat is een ding dat zeker is. Ze wachtte tot hij zijn instrument zou wegzetten, maar hij klemde hem vast en probeerde hem te stemmen. De waarheid was dat ze verliefd op hem was, en hoewel ze speelde wat hij wilde dat ze zou spelen, hoewel ze 's avonds wegbleef van het dansen met de meisjes in het bos om haar deur voor hem te openen, hoewel ze in haar moestuin groente voor hem kweekte om mee naar huis te nemen, kon hij zich er nooit toe brengen om tegen haar te zeggen dat hij dat had gemerkt.

Hij zei: Je hebt bosuilen die dezelfde melodie naar elkaar terug zingen met precies een octaaf verschil.

Hij stelde zijn stemschroeven bij en zij ging dicht bij hem staan en streelde speels het hout van zijn contrabas. Ze zei: Laat mij je instrument stemmen, en ze legde haar vingers op de zijne, die op de stemschroef boven aan de snaren lag.

Nee, ik heb het net voor elkaar, zei Donal. Hij rook haar dikke aardse haar en begeerde haar. Hij wilde zijn lippen tegen de hare drukken, maar hij omklemde zijn contrabas en sloeg zijn ogen neer.

Toen draaide ze zich met een ruk om en zei: Het is al laat, Donal. Ik ga naar bed.

Donal droeg zijn contrabas naar buiten en liep door de duisternis terug naar de schemering van Madeleines voorkamer. Langzaam draaide hij alle stemschroeven los. Toen de snaren er slap en stil bij hingen, begon hij opnieuw te stemmen en zocht naar de lage C, die hem het meest stoorde. Hij zag af van de traditionele stemming in kwarten voor een nieuwe stemming in kwinten. Daarmee kon hij een zuiver octaaf spelen bij Dagmars viool. Voorzichtig draaide hij de stemschroeven boven aan de snaren aan, liet zijn vingers over de volle lengte ervan glijden en door ze aan te draaien en ze in het hout van de hals te drukken stelde hij de schroeven nog iets bij. Toen vond hij moeizaam de oude noten terug op nieuwe plekken op de toets. Voor het eerst van zijn leven vond hij de snaren die hij tegen de toets drukte niet vlak klinken en zijn open snaren waren even welluidend en rond als de hoogste E van een viool. Nu de contrabas op deze ongebruikelijke manier was gestemd, kwam Donal tot de ontdekking dat hij de klankkleur had die hij altijd had gemist, en met het ontzag van iemand die een nieuw soort heeft ontdekt luisterde hij naar zijn eigen spel. Hij was opgetogen over de klank en spande zich in om zijn vingers een nieuwe vingerzetting bij te brengen, wat net zo moeilijk was als je tong een nieuwe taal bijbrengen.

De volgende ochtend nam hij de contrabas meteen mee om hem aan Colin te laten zien, die zijn hoofd schudde om de grote moeite die zijn vriend zich had getroost. We hebben onze instrumenten altijd op de oude manier gestemd. Waarom zou je dat nu veranderen?

Waarom zou ik me de dood als maat stellen? zei Donal. Ik heb hier iets bijzonders.

Maar het is dezelfde muziek.

Ik laat hem beter klinken.

Je zit er af en toe naast omdat je niet meer weet waar je je vingers moet zetten! zei Colin. Het is alsof je rook wilt verplaatsen met een schep – onbegonnen werk.

Donal trok zich niets van hem aan en schreef excentrieke smeekbrieven naar de mensen van Thomastik Dominant-snaren. Met de opgetogenheid en opwinding van een jongen die iets verzamelt ontving hij per post tientallen snaren. Hij experimenteerde ermee en koos voor een A en een G voor zijn fis-snaar uit de solistenset en voor een D- en een C-snaar uit de orkestset. Hij schreef lange brieven aan de snarenfabrikant om een echte G en een dunnere C te maken. Hij hield zijn strijkstok anders vast en drukte harder op de snaren, dichter bij de kam, en streek langzamer. Hij schreef naar een stokkenbouwer overzee en vroeg om iets anders van pernambuk. Geamuseerd over de passie van de jonge briefschrijver maakte de kromgebogen stokkenbouwer een nieuwe strijkstok van slangenhout, stuurde hem op en vernam uit een verkreukelde brief dat de nieuwe strijkstok huppelde en klaagde, paradeerde en zong.

Donal vormde zijn instrument tot het volmaakte prototype van de man die hij wilde worden, sterk, levendig en geestig, atletisch en liefdevol, gebiedend en teder. In zijn prachtige, gracieuze oude contrabas hoorde hij nu de ritmische trilling van onverwachte tederheid, een neiging tot romantiek en een moed die hij zelf nog niet kende. Hij werd een ambitieus schepsel dat zowel doolde als geketend was en ernaar streefde de hartstocht van zijn muziek te beheersen en gekluisterd was aan zijn eenzame beoefening. Er gingen dagen en nachten voorbij waarin hij geen mens sprak en niet ophield met spelen. Hoe verfijnder zijn klank werd, hoe meer hij ervan overtuigd raakte dat het lot had beslist dat alles voor zijn muziek moest wijken.

Moll leefde in duistere schaduw, afgezonderd van de mensen van Millstone Nether. Ze hield zichzelf gezelschap met een kleine vishaak en een mes. Wanneer ze 's nachts alleen was, legde ze repen vodden neer op de vloer van haar hut. Ze hurkte op platte voeten en boog zich naar voren, zo soepel in de heupen dat haar knieën recht naar de hemel wezen en haar oren omvatten. Ze ontkleedde zich tot haar middel en haar lange borsten hingen slap naar voren. Ze streelde ze met haar handpalmen, kneep hun zandkleurige tepels stijf en alert tussen haar sterke duimen en wijsvingers. Door haar lege oogspleten sloeg ze ze gade alsof ze niet van haar zelf waren. Toen liet ze haar borsten los, reikte naar voren en aarzelde even tijdens haar rituele beslissing tussen mes en vishaak.

Het eerste moment na de snee met het mes was er helemaal geen gevoel, alleen een snel opwellen van bloeddruppels langs haar deskundige lijnen. Ze werd gefascineerd door het snelle, emotieloze lemmet. Het mes had een misvormde globe van witte littekens over haar borst afgetekend, een altijd onvoltooide geschiedenis, in afwachting van haar volgende idee, een verbindende draad hier, een nieuwe kruisvector daar. Meedogenloos wiste ze met haar sneden alle onderscheid uit. Wanneer ze haar magere armen boven haar hoofd strekte of om haar rug sloeg, opende ze de wonden en kon ze er in het licht van de volgende dag nog een avondlijke weerklank van voelen. De meeste mensen zien geen betekenis in het dichte terugtreden van de duisternis, maar Moll wist wel beter.

De haak vereiste zowel wilskracht als onderwerping, als twee geliefden, een die de deur sluit omdat bepaalde gewelddadigheden zullen worden uitgevoerd, en de ander die voorwendt niet te weten dat de deur wordt gesloten. Wanneer haar borsten terugdeinsden voor het schrijnende opentrekken, en de geest zich terugtrok, dwong ze zich om aan de weerhaken te trekken. Ze haalde de schacht heen en weer, rukte aan opengehaald vlees en prikte met de kleine punt in de huid. En als ze van pijn was verzadigd, schoof ze de haak er met de schacht naar voren uit. Bij dit laatste werden haar ogen donker van flauwte en liet ze zich van haar hielen achterovervallen en lag op de vloer te wachten tot ze weer kon zien. Nu had ze zichzelf iets ergers aangedaan dan wie dan ook kon doen. Nu kon ze opnieuw weerstand bieden aan hetgeen dat het zonder stelde, hetgeen dat weigerde te zien wat moest verschijnen.

Ze boog zich over het mes en de haak en koos die avond voor allebei, het mes voor haar linkerborst en de haak voor haar rechter. Ze voerde haar rituele kwelling uit, gadegeslagen door het duistere tumult van haar gedachten, omwikkelde haar bloedende borsten met verband en hurkte bij de deur, waar ze de bleke gang van de maan bekeek. Toen haar kracht terugkeerde, liep ze naar beneden, naar de rand van de zee, ontdeed zich van haar rokken en het verband en waadde naakt het zoute water in, handen hoog boven haar hoofd gestrekt, knokige vingers die naar de ongrijpbare lucht reikten, haar eeltige lange tenen gekromd om de scherpe kiezels. Ze waadde dieper en dieper het water in tot het zout in haar borsten beet en er een hernieuwd sterven in opwekte. Toen dreef ze gewichtloos in zee, en het onafzienbare water spoelde haar bloed weg. Geen diepte kon haar onsterfelijke levenskracht bevatten. Door reiniging wekte ze haar schrijnende lichaam uit zijn meditatie in de kou van de zee. Gehurkt streelde ze de nieuwe sporen op haar huid, haar kunst en vermomming. Iemand eiste dat ze haar aanwezigheid bekend zou maken. Dit is het leven in de duisternis. Wat niet kan worden gezien, moet erkend worden. Wat niet kan worden geëerd, moet de transmutatie door de ongeschapen nacht afwachten.

Na de onverwachte lentestormen, die mannen lieten verdrinken die de veranderlijke lucht konden duiden, en ook mannen die dat niet konden, haalde iedereen zijn instrumenten tevoorschijn om te spelen bij de vreugdevuren achter Norea's huis. Colin legde een hoog vuur aan en sloeg op een zaadvormige trom die hij tussen zijn benen geklemd hield. Donal kwam met zijn nieuw gestemde contrabas, waarvan hij de vingerzetting eindelijk als een nieuwe moedertaal in zijn hoofd en handen had geprent. Donal en Colin sloofden zich samen uit voor de wintermoeie mensen alsof ze straatmuzikanten waren die op verre kasseien speelden. Colin likte aan twee vingers, haalde ze hard over het vel van de trom en ontlokte een griezelig gejammer aan het holle centrum van de trom. Na elke wegstervende weeklacht trommelde hij met zijn lange vingers over het strakke oppervlak. Donal keek met een ironisch opgetrokken wenkbrauw toe, alsof hij wilde zeggen: krijg het heen en weer, en hij joeg de vriend uit zijn kindertijd op tot complexere ritmes. De overige dorpelingen lachten om hun jongensachtige wedijver en zetten in met een koor van violen. Dagmar keek toe hoe Donal de aandacht wegtrok van de uitdagende Colin. Donal liet één arm op de sierrand van zijn bas rusten, met een brandende sigaret tussen de snaren en de bovenste schroef gestoken, en haalde zijn schouders op. Hij vlijde zijn wang tegen zijn oude instrument alsof hij door het hout heen luisterde en liet een eenvoudige improvisatie horen. Hij liet zijn strijkstok vallen om een pizzicatoritme te plukken, waarbij hij zijn dikke duim gebruikte voor de zware lage dreun die elke positieverandering markeerde. Het viel niet mee om in de openlucht goed hoorbaar te zijn. Hij pakte zijn strijkstok weer op, werkte met zijn hele arm en zijn sterke rug en boog zich gekromd over zijn contrabas. Op en neer over de ruim één meter lange snaren geselde en streelde Donal zijn instrument en zijn sterke vingers maakten diepe vibrato's los uit de snaren. De vlammen glansden op zijn voorhoofd en hij liet zijn hoofd in een boetvaardige houding hangen. Er vielen zweetdruppels op de donkere vernis, die de tonaliteit verdiepten tot buiten het bevattingsvermogen van zelfs het meest ontwikkelde oor van Millstone Nether. De menigte bewonderde zijn spel, maar als ze wilden dansen, riepen ze Colin terug.

Colin zette zijn trom aan de kant, pakte zijn lepels uit zijn zak, zette een gelaagd gekletter in en probeerde de blik van de knappe Dagmar van de plantenkas te vangen. Hij zag dat ze aandachtig keek hoe de lepels razendsnel tegen zijn bovenbeen tikten en hoopte dat ze zou opkijken naar zijn gezicht. Eindelijk wist hij haar blik te vangen en hij lachte en knipoogde alleen naar haar. Toen riep hij luchtig over de menigte heen: Mooie Dagmar met je groene vingers, zing voor ons! Aangemoedigd door haar blos stond hij op en trok haar mee tot ze naast hen stond. Met haar krachtige, zekere stem zong ze:

De zoon van de tuinman stond klaar,
En drie geschenken gaf hij mij, mij –
Het roze, het berouw, het paarsblauw,
En de rode, rode rozenboom,
De rode, rode rozenboom.

Donal speelde een lichte basmelodie om haar te begelei-
den en Colin liet zijn kletterende lepels voor wat ze waren
en ging aan haar voeten zitten. Toen ze bij het laatste
couplet kwam, trok ze haar wenkbrauwen op naar het
publiek en maakte ze hen aan het lachen:

Kom op, meiden, waar je ook bent,
Als je straalt in je bloei, bloei,
Wees wijs, kijk uit, blijf vrij van zorg,
Laat geen man je tijm, tijm stelen,
Laat geen man je tijm stelen.

Norea hoorde een nieuwe en hartstochtelijke klankkleur
in Dagmars stem. Maar Colin pakte de hand van de jonge
vrouw en trok haar naast zich, en toen het vuur was
opgebrand volgde Dagmar Colin naar de rotsen boven
de zee. Toen ze hand in hand in de wind stonden trok
Colin de jonge vrouw naar zich toe, kuste haar en raakte
haar borsten aan. Maar ze hoorde iets bewegen tussen de
bomen en ze maakte zich van hem los.

Hoor, zei ze.

Moll stond in een hol in de schaduw bij een klein
groepje knoestige sparren, alsof ze tot aan haar middel
was ingegraven. Haar handen had ze om haar bovenlichaam geslagen en achter haar rug verstrengeld. Haar
blik was strak op hen gericht.

Colin schreeuwde: Ga weg, Moll. Wat heb je hier te
zoeken?

Moll deed haar mond wagenwijd open, spuugde wat

graten uit en zei: Zie af van de kus bij het zakdoekje leggen. Zie er voorgoed van af, anders verander je in een zoutpilaar.

Hou toch op met die onzin, Moll! riep Colin, en hij trok Dagmar mee en ging met haar naar de rand van het klif. Hij ging met zijn benen over de rand zitten en zei: Glij met me mee naar beneden.

Dagmar knikte, want ze wilde maar wat graag weg van Moll, en Colin trok haar met een flinke ruk over de rand. Samen gleden ze omlaag over de rode aarde, steeds sneller rollend totdat Colin Dagmar in zijn armen nam en ze als boomstammen omlaag rolden terwijl hij haar beschermde met zijn sterke rug en onderarmen. Beneden gekomen zaten ze onder het zand en hadden zich geschaafd; Colin trok zijn overhemd over zijn hoofd uit en sprong in zee. De zon was helemaal onder en wenkte haar in het donker om hem te volgen. In het koude water omhelsde hij haar weer en fluisterde: Zij is alle landen en ik ben alle prinsen. Toen hij op reis was had hij dit heel vaak tegen vrouwen gezegd. Charme en liefde waren allemaal één voor Colin Cane, een jeugdige verwarring waarvan hij genoot.

Maar zijn woorden waren de eerste van die strekking die iets opwekten in Dagmars lichaam, zijn vingers de eerste die haar borsten streelden, zijn tong de eerste die haar keel raakte. Ze was ervan overtuigd dat zijn woorden alleen voor haar golden. Ze hield van zijn luchthartigheid en zijn lichaam met de lenige ledematen. Ze kende hem haar hele leven al, maar tot deze avond had hij nooit zijn oog op haar laten vallen. Ze vrijde met hem en Colin trok haar weer van de kust de zee in om naast hem te zwemmen. Het koude zeewater waste haar geur van zijn huid, maar niet zijn zaad diep uit haar. Er vlogen papegaaiduikers langs de kliffen voordat ze koers zetten over de oceaan. De nieuwe geliefden zwommen huiverend en lachend terug naar de kust waar ze nog een keer de liefde bedreven, en Dagmar maakte zich zorgen, maar Colin fluisterde: De eerste keer kan er niets gebeuren, in het extatische moment voordat hun zoon Danny werd verwekt. Die avond was Dagmars meisjesleven voorbij. Door in te gaan op het allervluchtigste oplaaien van de liefde was ze in de val gelokt als een jong konijn op een smal pad.

Donal was met Colin steentjes aan het keilen en probeerde zijn vriend zover te krijgen dat hij weer met hem mee zou gaan.

Hij boog zich opzij, keilde zijn steentje over het water en zei een jongensrijmpje op, één lettergreep voor elke keer dat het steentje ketste. Een eend, een draak, een bonenstaak, zei hij. Colin, je kunt hier niets meer doen. Je begint vast te roesten.

Colin knorde ongeduldig, liet zijn steentje ruim tien keer over het water ketsen en dreunde op: Een eend, een draak, een bonenstaak en een fles brandy-o.

Je haalde de brandy-o niet, zei Donal. Hij viel! Wil je niet eens iets anders proberen dan de muziek van hier?

Colin keilde nog een steentje weg en zei: Ik wil klinken als een musicus uit Millstone Nether. Een eend, een draak. Zijn ruwe steen verdween na twee keer ketsen onder water.

Je moet de wortels losmaken, de takken terugsnoeien, spotte Donal terwijl hij tegen de kiezels schopte. Hij bekeek ze, gooide er een weg, zocht de volmaakte steen, glad en afgerond.

Ik klink prima, zei Colin. Je hebt hier evenveel stijlen als musici. Hij gooide nog een steen. Je hebt hier mensen die meer melodieën kennen dan wij met al ons gereis. Ik ken er de helft nog niet van. En als ik er nog wat meer ken, ga ik weer naar het vasteland.

De voorzichtige Donal vond het perfecte steentje en liet het zo ver keilen dat ze niet konden zien waar het zonk. Dat was minstens twee keer een eend, een draak, zei hij. Wie wil daar nu onze muziek horen?

Ik hou van onze oude muziek, zei Colin. Ik droom van plekken om te vissen en ik heb het altijd bij het rechte eind. De enige keer dat ik me helemaal goed in mijn vel voel is wanneer ik melodieën van Millstone Nether speel. Ik blijf nog een poos.

Traditie is luiheid, wierp Donal tegen. Ik heb al een volmaaktere stijl gevonden.

Ze liepen langs de zee en waren op weg om met Dagmar in de kleine roeiboot langs de kust te varen en ze staakten de woordenstrijd die ze tijdens de kortende dagen met allerlei variaties hadden herhaald. Het terug zijn stemde Colin luchthartig en hij vond het prima om te blijven. Het terug zijn bezorgde Donal rimpels in zijn voorhoofd en maakte hem rusteloos. Hij beschikte niet over Colins wonderbaarlijke geheugen voor melodieën. Hij was het beu om op keukenfeestjes te spelen en hij was het beu om in zijn eentje te spelen.

Ze troffen Dagmar al bij het bootje aan, met een tas aan haar voeten. Colin ging op het middelste bankje zitten en roeide met gekruiste handen langs de kust pal naar het noorden, langs de rotsman, terwijl ze uit gewoonte allemaal luisterden naar de golven die tegen de rotsen sloegen. Ze lieten een fles rondgaan. Colin trok de boot een kleine riviermonding in die ver van het dorp af lag. Dagmar was zes weken zwanger en voelde zich geïrriteerd. Haar lichaam pulseerde door het besef dat haar kind in haar groeide en door de begeerte die ze voelde van deze twee mannen die haar allebei wilden. Ze ergerde zich eraan dat Donal er niets van liet merken en dat Colin haar voor zich probeerde te winnen. Ze had geen besluit genomen, maar toch was er een keus gemaakt. Colin was aanmatigend. In de kas hield hij haar van het werk en als er iemand anders bij was, ging hij tussen haar en die ander staan. Hij maakte dingen bij haar los en scheidde haar van zichzelf.

Ze gingen naar de zee zitten kijken en ze dronken veel. Colin zei: Weet je wat ze met een Chinese bruid doen? Ze blinddoeken haar en dan komen alle mannen naar haar toe om haar te kussen. Hij ging op zijn hurken zitten en trommelde met zijn handen rusteloos op zijn dijen terwijl de lucht rozig was en vol wolken. Hij zei: Dan vragen ze haar welke man haar echtgenoot was.

De aangeschoten Donal proestte het uit. De lucht werd kil toen Dagmar naar de hemel keek. Donal gaf ruw een por tegen Colins schouder en zei: Krijg nou wat! Colin gaf hem een harde duw terug. Colin trok zijn T-shirt uit en zei: Dagmar en ik gaan trouwen. Laten we kus-de-bruid spelen.

Dagmar wierp Colin een blik toe. Waarom dacht hij dat ze met hem zou trouwen? Waarom dacht hij zoiets te kunnen zeggen zonder het haar te vragen?

Nee, zei Donal.

Colin bond zijn T-shirt over Dagmars ogen en zei: Kus haar maar, en degene van ons die ze kiest gaat nu meteen met haar naar bed. De verliezer gaat terug naar het bootje en wacht. Hij nam nog een slok en gaf de fles aan Dagmar.

Hij denkt dat hij zomaar mijn leven kan overnemen, dacht ze. Ze lachte overmoedig en om hen allebei te bespotten zei ze: En waarin zou de kus van de ene man moeten verschillen van die van de ander?

Donal schudde zijn hoofd en Colin zei: Kijk, Dag is er klaar voor, is het niet? Ze is niet bang, ze vindt het hartstikke leuk. Of niet, Dag?

Dagmar was opgegroeid onder keukentafels waar ze luisterde naar vrouwen die bekers thee dronken en over de liefde praatten alsof het een lekkend roeibootje was.

Haar vader was niet meer dan een herinnering van haar moeder. Ze kon niet begrijpen dat haar lichaam opgewonden raakte als ze Colin zag, in weerwil van het sterke verzet van haar geest. Norea zei altijd: Luister naar je hart. Maar hier zat ze op haar negentiende en er was geen andere man op het eiland voor haar over dan deze twee zwervers. Ze moest hun aandacht weer naar haar verleggen. Ze trok haar blinddoek af en trok haar kleren uit.

Ik ga zwemmen. Als ik terugkom, ben ik zover.

Colin en Donal zagen haar stevige billen in het water verdwijnen. Ze omhulde zich met de koude oceaan als met groene lak en was voldaan over de stilte die haar naaktheid opriep. Het gevoel van de jongemannen verschoof van boosheid naar begeerte voor haar, gevoelens die als zeewier om een anker gedraaid zaten. Ze dook in de lichte golven, vrijer dan ze zich in weken had gevoeld. Huiverend en met druppels bepareld keerde ze terug naar het strand. Ze depte zich droog met Colins T-shirt, en toen hij haar blinddoekte kreeg ze een idee.

Colin kuste haar als eerste, zijn sensuele vertrouwde zoen. Ze snoof zijn geur op en ze werd weer helemaal week. Zijn adem gaf een ritme aan waarmee haar lichaam en de hemel vervuld raakten. Hij verlangde naar haar, maar hij kon haar niet bezitten, zou haar nooit bezitten. Hij liet haar los en toen rook ze dat Donal naderbij kwam. Zijn zoen was een opgewonden trillerig probeersel, een verontschuldiging, een vernedering die hij achter de rug wilde hebben.

Ze deed alsof ze nadacht en zei onvast, alsof ze beschonkener was dan in werkelijkheid het geval was: Colin was de tweede die me kuste.

Stilte kliefde het strand in tweeën. Colin vloekte, pakte hun fles, dronk hem in één grote teug leeg en terwijl hij wegliep, smeet hij hem stuk tegen de rotsen.

Donal ging op zijn hurken naast Dagmar zitten, maakte haar blinddoek los, pakte haar blouse van de stenen en legde die onhandig over haar heen. Hij zei: Je hebt je vergist.

Dagmar antwoordde met vaste stem: Nee hoor.

Zijn armen en benen waren mager en gretig als die van een jongen en zijn sterke vingers streken *da baccio* over haar lichaam, de enige manier van aanraken die hij kende, maar hij kon geen woord uitbrengen.

Toen ze zich van elkaar losmaakten zei Dagmar: Ik ben zwanger.

Hij zei: Nu al?

Ze lachte. Donals hart werd leeg. Hij had kunnen zeggen dat hij van haar hield, dat hij in haar altijd zijn thuis had willen maken, dat hij in een doos een jurk voor haar had klaarliggen, maar hij was verbijsterd over haar onbeschaamde achteloosheid en was niet tot nadenken in staat. Hij stond op, kleedde zich aan en reikte Dagmar haar kleding aan. Ontnuchterd liepen ze terug naar Colin en stapten samen in het bootje. De zeewaartse wind zwelde aan en de golven waren hoog. Het kleine bootje werd tegen de omgekrulde golven gesmeten en geslagen. Colin roeide hen weg van het land. Overmoedig trok hij een riem uit de dol en zwaaide ermee boven zijn hoofd.

Dagmar was bang op het donkere water.

Colin, hou op met dat gedonderjaag, zei ze. Laten we teruggaan.

Ik ga niet terug. Ik vind het hier leuk.

Ga terug, zei Donal laag en hard, de wind steekt op. We kunnen samen roeien.

Colin ging wankelend op het middelste bankje zitten en liet de sloep met één riem draaien, terwijl de andere dwars over de boot lag en de wind hen naar de open zee dreef. Donal ging staan en stapte naar het middelste bankje om de losse riem te pakken. Hij probeerde zich naast Colin te wringen om de riem weer in de dol te steken, maar Colin wilde niet opschuiven. Donal wilde hem opzij duwen, maar toen hij zijn hand op Colins schouder legde, kwam de dikke vuist van zijn vriend omhoog en raakte hem op zijn kaak. Donals hoofd schoot achterover, toen vloog hij Donal aan, die met de losse riem boven zijn hoofd zwaaide. Donal pakte de riem vast, trok één kant omlaag en probeerde een stomp uit te delen, maar Colin sloeg zijn armen om Donals nek, viel achterover en met twee wankele stappen vielen ze allebei overboord, waar ze nog doorvochten.

Dagmar kon de kust niet meer zien. Ze pakte de andere riem en stak hen die toe, maar een golf tilde haar buiten hun bereik. Ze zag dat er koude golven over hun hoofd sloegen. Ze zouden verdrinken. Ze staarde verbeten naar de lucht, en binnen de kortste keren hing er een merkwaardige stortbui boven hun bootje die de wind deed keren om hen als kleine schildpadjes terug te drijven naar de stille kust, Dagmar rillend in de roeiboot en de twee mannen verwoed zwemmend om hun hoofd boven water te houden terwijl de koude druppels op hen neersloegen. Dagmar kon wind laten opsteken en regen laten neerdalen, maar nu werd ze overmeesterd door de liefde van een man, een kracht die ze niet kon peilen. De mannen wisten die avond allebei in hun eentje en half bevroren de kust te bereiken. In het moerasland kwetterden de vissen en de vogels.

Voor zonsopkomst tikte Colin tegen Dagmars raam, wenkte haar naar buiten te komen en deed haar een fatsoenlijk huwelijksaanzoek. Hij zei: Ik denk dat ik dood zou zijn gegaan als de zee je had verzwolgen. Ik was je bijna kwijtgeraakt.

Samen liepen ze langs de kust naar het huis van Madeleine. Everett zat te roken aan de keukentafel en Madeleine kwam uit de geitenstal.

Hij is weggegaan, zei ze.

Waar naartoe?

Dat heeft hij niet gezegd. Hij kwam drijfnat thuis en zei dat hij naar het vasteland ging. Madeleine keek onderzoekend naar het gezicht van Colin en Dagmar en zei: Ik vraag me af wat jullie hem hebben aangedaan?

Niets, mompelde Colin. Hij komt wel weer terug. We komen altijd terug.

Madeleine schudde haar hoofd met de kleine kin en de gedrongen nek en zei verdrietig: Alles is mogelijk.

Colin besteedde de opbrengst van zijn hele visvangst van die zomer aan duizend rozen van het vasteland die hij liet bezorgen en zelf voor de trouwerij door zijn huis verspreidde. Rode, witte, roze en gele. Hij legde een fraai spoor van de voordeur naar de slaapkamer en bedolf het bed onder de bloemblaadjes. Dagmar trok verrukt haar jurk uit en liet zich naakt achterover op de rozen vallen alsof ze op een berg bladeren viel. Ze las het banier dat Colin met de hand van vergulde letters had voorzien en dat boven hun bed hing: *Dagmar ik ben een en al Dagmar mijn hoofd mijn hart mijn hand.* Achtentwintig dagen lagen ze hart aan hart en Colin fluisterde tegen haar: Dagmar, ik hou van je, tot de bloemen bruin werden en slap gingen hangen, tot de bloemblaadjes op het bed droog waren en tot stof vervielen, tot het water in de vazen op was. De mensen uit het dorp waren dol op bruiloften en maakten onder elkaar grapjes over hoelang het stel het met elkaar zou uithouden: Het is maar goed dat ze er een voorraadkast voor de herfst hebben.

Op een ochtend streek Colin over Dagmars bollende buik en terwijl hij met zijn gedachten elders was zei hij: Ik ga je een verhaal over Johnny Magory vertellen. Zal ik dan maar? Zo, het is al klaar!

Dagmar lachte, maar voelde een nieuwe koelte, als van

bevroren smeltwater, in de kamer. Hij was afwezig, zijn blik op de deur gericht. Hij zei: Ik wil weg om het te gaan maken. Er is een kleintje onderweg en ik wil niet voorgoed veroordeeld zijn tot vissen.

Dagmar was hunkerend en rusteloos, haar kind binnenkort klaar voor de wereld. Ze luisterde naar zijn plan om naar het vasteland te reizen, naar zijn droom om zijn muziek te spelen, op te nemen.

Op zijn innemende manier zei hij: Kleine zus, ik heb het hoog in mijn bol. Daar kan ik niets aan doen. Als ik ga, weet ik dat ik ze zover kan krijgen dat ze opnames gaan maken van de muziek van Millstone Nether.

Ze doorzag zijn mannenhoop en dacht: Nu al is zijn heerlijke liefde verzadigd. Ik ben jaloers op het bed waarop hij zit, op de woorden die hij zingt, op de snaren die zijn vingers bespelen. Nu zal hij weggaan en zullen we twee dode geliefden zijn en onze beenderen zullen elkaar omhelzen op de rotsen.

De buurvrouwen schudden hun hoofd en de oude vissers keken met samengeknepen lippen tegen onderdrukte gedachten toe toen Colin vertrok en de eenzame Dagmar elke dag naar haar moeder op de oude boerderij liep om te spitten in de plantenkas zodat alles zou blijven groeien.

Norea hield haar dochters gezicht in haar handen, streek met haar vinger over de donkere kringen van teleurstelling onder haar ogen en zei: Er bestaat maar één eerste liefde. Maar inwendig treurde ze.

Langzaam vervaagde het licht uit Dagmars ogen. De

jonge vrouw baarde haar prachtige zoon, droeg hem in een draagzak over haar borsten door haar moeders plantenkas, gaf hem borstvoeding en droomde met hem. Tijdens zijn omzwervingen schreef Colin prachtige brieven die Dagmars meisjesachtige eenzaamheid levend hielden. Ze liet ze op de keukentafel liggen en las ze voor aan haar moeder, als bewijs dat er van haar werd gehouden.

Engel van me, met niets dan slaapliedjes onder je tong, ik kom naar huis. Ik hoop dat je bevalling niet al te zwaar was. En ik, ik geef geen krimp. Ik pluk, tokkel, trek en plonk en ze zeggen dat ze er een plaat van zullen maken, ik zweer het – voor jou en onze zoon. Dus je ziet, liefste, dat het voor mij ook een hele bevalling was. Ik keer in allerijl terug op engelenvleugels.

Norea zei: Romantisch geraaskal! Waar hangt hij uit als je lakens koud zijn? Waar zijn je vis en je boterjus?

Dagmar zei: Zo moet je niet praten. Hij zegt dat hij zal doodgaan zonder mij.

Af en toe gaan er mannen dood en de regenwormen hebben ze opgegeten, maar niet vanwege de liefde, zei Norea.

Dagmar vouwde haar brieven op en borg ze weg. Wat weet jij daar nu van?

Liefde, zei Norea, is de wijsheid van dwazen en de dwaasheid van wijzen.

Er waren waarschuwingen en stiltes, maar Dagmar negeerde ze en stopte Colins brieven onder haar hoofd-kussen:

Liefste D,

Deze kamer is te eenzaam voor woorden, slechts een handjevol mensen als publiek van-avond. De foto van Danny in jouw armen laat me niet los. Hij kijkt me aan uit spiegels waar-in ik eerst mezelf zag. Hij praat tegen me in mondmuziek waaraan woorden slechts afbreuk zouden doen. Hij smeekt me thuis bij jou te komen wonen en steentjes met hem te keilen aan de kust. Maar, liefste schat, ik ben er zo dichtbij. Nog iets meer tijd. Toen we wie-zal-ik-een-kusje-geven speelden onder aan de zand-stenen kliffen bij de golven was er maar één wonder dat het kon bekronen.

Colin had een hekel aan de eerste huilerige dagen en nachten van een baby met zijn wijdopen ogen, en hij keerde pas na maanden terug. Hij gaf de voorkeur aan zijn eigen wanorde. Toen hij terugkeerde, met de toezeg-ging voor een opname op zak, gesteld in de vlakke taal van het vasteland, hield hij de verliefde eenzame Dagmar in zijn armen, haar lippen hongerend naar de zijne. In een hoek van de plantenkas brulde de baby in zijn wiegje. Colin vertelde Dagmar dat hij weer terug moest. Om zijn belofte gestand te doen.

En hoe zit het met je belofte aan mij? vroeg ze terwijl ze het plantenschepje naar zijn hoofd smeet. Wat heeft het voor zin een verleden op te nemen waarin geen heden zit?

Norea was niet verbaasd te merken dat Colins kleren op de grond lagen, dat ze de deur uit waren gegooid. O, o, zei ze, nu wordt het menens. Met haar stok zocht ze haar weg naar hun kleine huisje en op het stoepje bij de voordeur viste ze met haar stok een onderbroek van Colin op.

Binnen zat de peuter met een mand eieren op de vloer. Hij kroop ermee naar allerlei bergplaatsen en brak ze in een zorgvuldig ritueel. In een donkere hoek van de keuken zat Dagmar te huilen toen ze het getik van haar moeders stok hoorde.

Norea duwde de deur open en toen ze voelde hoe koel de kamer was vroeg ze: Waarom heb je de gordijnen dicht terwijl het zo'n mooie dag is?

Dagmar zei: Ik heb hem eruit gegooid.

En zijn kleren ook, zei Norea. Ze tilde haar stok op en liet de onderbroek eraan ronddraaien als de linten aan een meiboom. Ze gooide hem op de tafel en vroeg: Wat heeft hij gezegd?

Dood me en verzalig me, maar geef me eerst een kus, zei Dagmar.

Ondanks haar woede was de jonge vrouw gecharmeerd door zijn woorden en genoot ze ervan ze voor haar moeder te herhalen. Ze vertelde haar niet dat ze hem met haar ring een haal over zijn wang had gegeven en hem bloedend had achtergelaten.

En waar denk je dat die zwerver uithangt? vroeg Norea. Wat mij betreft in zijn graf.

Hij komt wel terug. Dit is het huis van zijn verdronken vader. Hij zal zijn kleren willen hebben, voegde ze er praktisch aan toe. Doe je de deur voor hem open?

Dagmar snikte.

Colin stuurde brieven naar huis waarin hij Dagmar vroeg naar hem toe te komen, om iemand te zoeken die voor het jongetje kon zorgen. Hij schreef: Stel je voor: wij met zijn tweetjes een maand lang in een bed vol rozen. Trek je lamsjas aan en kam je haar achterover. Ik wacht je op bij de eerstvolgende boot.

Dagmar verfrommelde de brief en schreef terug: En wie zorgt er dan voor de baby? Stuur het danseresje of het zangeresje dat deze week in trek is de deur uit en kom bij ons terug.

Norea bood haar dochters sombere woorden een luisterend oor en zei: Langgeleden heb ik overzee iets dergelijks achtergelaten.

Begin daar nou niet over, mamma. Dat heb ik allemaal al eens gehoord.

Ik kan je niet laten verhongeren.

We komen niet bepaald om van de honger.

Het is een nietsnut.

Er vielen zoute tranen in Dagmars slappe thee. Kijk, zei ze, terwijl ze zijn laatste ansichtkaart boven haar hoofd zwaaide, buiten het bereik van de kleverige knuistjes van de baby: Hij zegt dat hij gauw terugkomt.

Jij hebt de deur opengedaan, zei Norea. Een man zou

na de eerste liefdesgeschiedenis moeten doodgaan, zoals de mijne heeft gedaan. *Is mór an trua é.*

Het is wel mijn vader over wie je het hebt, zei Dagmar, die door haar tranen heen lachte.

Norea snoof. Ik heb van hem gehouden, maar jij hebt hem nooit gekend, zei ze. Geen reden om sentimenteel te doen. Colin is verblind door zijn eigenbelang en jij bent gewoon een onnozel wicht. Kom met het kind naar huis. Ik zal je de boerderij geven, net zoals ik hem heb gekregen. Jij hebt groene vingers. Ik heb nooit iets kunnen laten groeien zoals jij dat kunt.

Je zult het niet met me uithouden onder één dak, zei Dagmar. Dat kan ik zelf amper.

Ik kan het niet aanzien dat je zo wegkwijnt. Toe, Dagmar. Je hebt zoveel meer dan ik had. Trek je eigen plan.

Dagmar verscheurde alle brieven van Colin op één na, die ze onder in haar koffer verstopte: Dagmar, mijn ware liefde, huil in donkere uren. Het is vreselijk om elkaar zo veel pijn te doen alleen omdat we te veel van elkaar houden. Toen trok ze de deur achter zich dicht en ging weer bij haar moeder wonen.

En zo kwam het dat Dagmar en Colin nooit meer samenwoonden. Wanneer Colin thuis was, kwam hij langs, tikte tegen Dagmars raam en dan nam ze hem mee naar de plantenkas, waar ze met elkaar vrijden onder de maan die door het glas scheen. Na verloop van tijd bloeiden ze op, zonder elkaar. Seizoenen werden jaren, en ze wisten voldoening te halen uit hun afzonderlijke talenten.

Colin werd de ongeëvenaarde muziekbron van Millstone Nether. De mensen op het vasteland waren dol op zijn melodieën en zijn spel. Ze kwamen over en dan nam Colin ze mee voor een rondgang langs de oude mannen en vrouwen om hen liedjes te horen spelen die anderen waren vergeten, en hij vertelde over de muziek waarmee hij was opgegroeid als onderdeel van de grote tradities in de wereld. Door zijn reizen werd hij bekend als een musicus die bij zijn oorsprong bleef. Hij was een spons die nooit verzadigd raakte en zijn kennis was enorm. Als de oceaan nam hij alles op dat binnenkwam, en wanneer er zich een probleem voordeed, stroomde hij eromheen.

Wat Dagmar betreft, haar akkers en plantenkassen stonden in het dorp bekend om hun steevaste overvloed. De eerste jaren nadat Colin was vertrokken had ze veel last van verbitterde gevoelens, en stormen lieten menig schip kapseizen en mannen ten onder gaan in de golven. Maar de tijd werkte verzachtend. Haar sterke geest werd in beslag genomen door de teelt van planten die eigenlijk niet op die schrale aarde konden groeien, en lange tijd staken er minder stormen op en ontstonden er geen droogtes meer op Millstone Nether.

Dagmar bracht haar zoon Danny groot alsof hij een plant was, voorzag hem van water en voedsel en snoeide hem, tot de jongen op een dag vroeg of hij bij zijn vader mocht gaan wonen. De volgende twee winters zorgde ze voor ijs dat de havens onbereikbaar maakte en Colin thuishield bij zijn zoon.

De mensen van Millstone Nether sloegen het gezinnetje met de vreemde gewoonte in twee huizen te wonen gade en zeiden voor de grap: Ze hebben hun net geboet met gaten erin. En hoewel het niet was wat Norea voor haar dochter had gewild, schudde ze slechts haar hoofd en zei: Nou, in elk geval gaat het ze voor de wind en daar ben ik al blij om.

En zo hadden Dagmar Nolan en Colin Cane tot hun oude dag kunnen leven, tot hun dood verbijsterd door hun liefde. Maar het menselijk bestaan kent geen zekerheid die niet van het ene op het andere moment kan veranderen. Oude patronen maken plaats voor nieuwe en ongevraagd begint er iets heftigs. Op vijfenveertigjarige leeftijd raakte Dagmar Nolan weer in verwachting van Colin Cane en laat in de avond zetten in de plantenkas de weeën in. Dagmar nam zich hoopvol voor dat het leven van dit kind anders zou worden. Een jonge vrouw kan door tijd en tegenslag worden getemd, maar een oude vrouw is onbevreesd voor welke aardse kracht dan ook.

DEEL TWEE

Besluiten nemen

A lleen Dagmar Nolan kon op deze manier bevallen. Langs het oneffen pad dat door de plantenkas naar de zaailingen achterin liep, schommelde ze weg van het huis. Bij elke wee klapte ze dubbel, begroef haar gezicht in rijen bollen, ging rechtop staan, liep heen en weer, rustte en proefde haar eigen vastberadenheid en zweet.

Persweeën kwamen snel bij dat tanige lichaam van middelbare leeftijd. Ze klemde een aarden pot vast en kneep erin tot hij barstte en haar handen openhaalde. Ze veegde het bloed af aan haar heupen en zette haar voeten in de grond om hun eigen wortels te vinden. Overal in de plantenkas gingen bloesems open en peulen vol zaad hingen zwaar af terwijl zij zich liet wegzakken in haar pijn. De poriën van de bladeren ademden snel en diep en vervulden de vochtige lucht met duizeligmakende zuurstof. Dagmar kreunde en scherpte haar verlangen. Tijd wegslikkend boog ze zich voorover, perste als een aardbeving en schreeuwde een zaligspreking uit: Awwawwwa.

Boven de vieze ruiten boven haar hoofd werden de nachtelijke wolken uiteengedreven. De temperatuur steeg toen Dagmar kreunde in haar vlees, de schoudertjes eruit trok en toen het lijfje en de benen van deze pasgeboren dochter die ze met een spoor van viezigheid over de lengte van haar ineengezakte bovenlichaam naar haar borsten liet glijden. Ze keek met enorm ontzag in de ernstige wijdopen ogen van een baby die gezond en sterk ter wereld was gebracht. Ze hield het kind goed omhuld in haar wijde groene gewaad. Vervolgens knipte ze met een snoeischaar uit de plantenkas de navelstreng door en dreef de placenta met gemak naar buiten, licht, plat en zo glibberig als een stuk zeewier. Zwerfhonden aten de smurrie van bloed en nageboorte op en bevlekten de vloer met hun natte tong.

Dagmar veegde haar pasgeboren dochter schoon, wikkelde haar in, luisterde naar haar ademhaling en bekeek dolgelukkig de kleur van haar wangen en haar piepkleine teentjes. Ze voelde haar kleine hartslag en telde haar vingertjes. Toen het duidelijk was dat het kind compleet en gezond was, liet Dagmar zich achterover zakken. Ze bracht het mondje van de baby naar haar gezwollen tepel en de pasgeborene zoog meteen melk op, terwijl het licht van haar ogen zich verstrengelde met dat van haar moeders ogen, twee stel sterren die in dezelfde constellatie stonden. De baby sliep en droomde haar eerste droom in de wereld, over een haastige afdaling door duisternis, over de smaak van melk en de geur van lucht, over het gevoel van gewicht. Ze hoorde in één enkel koor het geluid van de zee, het geruis van de wind en haar moeders ademhaling. Terwijl de ogen van de baby bewogen achter hun gesloten oogleden, wikkelde Dagmar haar stevig in en met haar vrije hand depte ze voorzichtig tussen haar eigen gezwollen benen.

Buiten naderden voetstappen, er klonk getik langs de stenen van het pad, de deur ging open en Norea schuifelde naar binnen op haar slaapkamerslippers. Met haar droge, krakerige midden-in-de-nacht-stem zei ze: Dagmar?

Bij de zaden, achterin. Ik heb haar. Ze is gekomen.

Vrouw allemachtig! riep Norea uit terwijl ze naar de oppottafels slofte. Hoelang ben je bezig geweest? Ze stak haar handen uit naar Dagmar, raakte het gezichtje van de baby aan, liet haar mantel van haar schouders vallen en wikkelde die naar beste kunnen om haar dochter en haar nieuwe kleindochter heen, knielde toen naast hen en betastte met haar stramme handen het lichaam van de baby.

Dagmar zei plagend: Ze lijkt op jou.

Met een zuinig lachje trok Norea haar gezicht in rimpels. Twee frommelige hoofden. Laat je niet voor de gek houden, de zwarte kip legt een wit ei.

Ze veegde een paar tranen weg, maar niet nadat er een was gevallen en het bovenste deel van het voorhoofd van het kind voorgoed kenmerkte met een vlek in de vorm van een kroontje. Op Norea's kuiten tekenden de spataderen zich als kiezels af en met haar flubberige oudevrouwenarmen omvatte ze haar dochter en deze nieuwe baby. Ze masseerde Dagmars nek en streelde het hoofd van het kind. Gedrieën verstrengelden ze zich om en door elkaar heen als kousenbandslangen die in de lente ontwaken.

Een moeder en dochter hebben elkaar waarschijnlijk

nooit zo na gestaan als in het geval van Dagmar en dit kleine meisje, dat ze Nyssa noemde. Versmolten vreugde. Wortels van de een onder de huid van de ander. Baby's ogen gericht op het licht van *mater gloriosa*, nog te vroeg om *stabat mater* te zijn. Dagmar mat de lengte van het voetje van haar pasgeboren dochter met haar wijsvinger en veegde de babybilletjes en die te grote vulva schoon, droogde ze af en streelde ze. Op het moment dat haar kind geboren was, werd ze van ganser harte haar dochters wiegje, de duisternis van haar slaap, de leniging van haar honger en het eerste liedje in haar oor.

Ze was Nyssa Nolan, dochter van Dagmar Nolan die zonder het te willen het weer mooi of lelijk kon maken, Dagmar die de dochter was van Norea Nolan die de laarsjes van haar overleden moeder stal en leven uit tranen maakte, die de dochter was van de eerste Dagmar die de naam van haar man aannam en jong stierf nadat ze aan acht kinderen het leven had geschonken.

Bouwers van snaarinstrumenten zeggen dat de spanning van de snaren bepalend is voor de kracht van het instrument. Als er ooit een kind is geweest dat gespannen en krachtig tussen haar moeders dijen vandaan kwam, was het Nyssa Nolan. Meteen na haar geboorte bewogen haar voeten zich voortdurend door de lucht. Toen ze drie en een half was, speelde ze alles wat ze hoorde, met haar viool ter grootte van een bierpul onder haar kin gedrukt terwijl haar voetjes op de vloer tikten. Haar manier van spelen was uniek en is nooit meer geëvenaard. Laat de zanger het in een lied vervlechten, laat het van oor naar mond stromen, laat het verder vertellen van oud tot jong. Nyssa met de lange benen en haar viool kwam en veranderde de muziek van Millstone Nether voorgoed.

Nooit vergat ze een melodie.

Ze had een absoluut gehoor.

Alleen al door deze twee mysterieuze gaven kreeg Nyssa een volledige, aparte greep op haar wereld, een vaste voet, een geest die zich verhief, de aangeboren overtuiging dat ze zowel hemel als aarde beheerste. Alleen het rijk der duisternis was haar niet meteen vanaf het begin eigen. Zelfs als kind speelde ze iets nooit precies na zoals het haar was voorgespeeld. Met zwier en gratie drukte ze er haar kleine stempel op. Ze hief haar armen recht omhoog, viool in één hand, strijkstok in de andere, een gebaar dat zowel uitdagend als smekend was. Ze begreep dat van alle menselijke expressiemiddelen muziek qua betekenis het zwijgzaamst is. Ze probeerde er de lijn voorwaarts naar volle declamatie in te vinden.

Ze hadden kunnen vermoeden dat Nyssa anders was als ze de verloren gegane kunst van het interpreteren van de lijnen op een babyvoetje hadden verstaan, aangezien de kromme teentjes en de zachte voetzooltjes nog altijd meer tot het geestenrijk dan tot de aarde behoorden. De lange lijn in het midden van de voet zegt iets over reizen –

wanhopig, zwervend, gevaarlijk, eenzaam. De lijn onder het kussentje van de grote teen zegt iets over wilskracht, vastberadenheid en de bereidwillige instelling van het hart. De lijnen vanaf de kleine tenen voorspellen talenten en grilligheden, de plooitjes aan de binnenkant van de enkels voorspellen avonturen in de wereld. De vorm van de hiel voorspelt standvastigheid en geluk, de welving van de wreef tragedie en verdriet. Een goede voetlezer keek hoe een baby trappelde en voorspelde daaruit een lang of een kort leven, een grote of een kleine geest, kon eraan aflezen hoe het kind door het leven zou sjokken of zweven. Nyssa kromde haar voetjes en danste terwijl ze dronk. Als ze naakt op de grond werd gelegd stak ze haar voeten omhoog alsof ze wilde gaan vliegen, met de tenen vooruit. Ze plonsde met haar beentjes in het bad en bonkte ermee op Dagmars dijen. In haar wiegje schopte ze met haar voetjes door de lucht alsof ze al danste.

Dagmar verbaasde zich over de kracht van haar baby en was ontzet over haar koppigheid. Op dagen dat het uitgeputte kind zichzelf geen slaap gunde, ging Dagmar naast haar op het grote bed liggen, streelde het kruintje op haar voorhoofd en liet haar eigen been licht op de dansende voetjes rusten. Maar dan zette de baby het op een brullen, waarbij het bloed naar haar wangen vloog en haar gezicht zo'n verontwaardigde uitdrukking aannam dat Dagmar bezweek voor haar luchtdans.

Tik. Tik. Tik.

Dagmar lag met Nyssa op het bed te doezelen toen

Colin met een muntje tegen haar raam tikte. Door het raam keek ze hem in de ogen, die op zijn vijfenveertigste nog steeds ondeugend waren. Zijn lippen waren tot een lachje vertrokken en hij wenkte haar naar buiten te komen met zijn charmant schuingehouden hoofd. Dagmar legde vier kussens om de slapende Nyssa heen en volgde Colin, weg van het huis over de ongelijke stenen naar de plantenkas. De planten wiegden al heen en weer bij de klanken van zijn viool waarop hij 'A' Chuthag' speelde. Toen de laatste klank van het lied was verstomd, legde Colin zijn vaders viool neer en pakte van achter een stapel bloempotten het masker van een hertenbok op dat van een echt gewei was voorzien. In de stille, flakkerende schaduwen hield hij het masker omhoog om te laten zien dat aan het gewei een mand hing met een van Madeleines felgekleurde schilderijen. Het was een schilderij van een meisje dat witte stof weefde, met een rij mannen en vrouwen die om een lange tafel zaten te wachten tot ze de stof konden verwerken. Colin neuriede een oud naaiwijsje toen hij Dagmar de mand met het schilderij gaf.

Met haar tong raakte ze de bloedblaar op zijn lip aan en ze verlangde naar hem, maar er lekte melk uit haar borsten en ze trok zich terug. Colin liep achter haar aan over het pad naar de slaapkamer waar de baby zich roerde door nauwelijks bewuste honger. In het donker bewonderden ze samen haar kleine armpjes en beentjes en haar gezicht toen Dagmar ging liggen om haar de borst te geven, haar gezicht vertrokken van pijn bij de eerste krachtige teug van de baby en met een zucht van opluchting toen de stuwing afnam. Nyssa dronk goed en krachtig en Dagmar bekeek de lome Colin, die languit voor haar lag, zijn lachrimpels, het verbleekte litteken op zijn wang, waar ze zevenentwintig jaar geleden in razernij hard haar trouwring over zijn gezicht had gehaald. De baby doezelde weg en Colin vlijde zich ook tegen Dagmar aan en zoog zelf wat van haar melk op tot ze hem wegduwde.

Je haar is helemaal klitterig, zei hij, liefdevol over haar verwarde haar strijkend.

Dat zou met jouw haar ook zijn gebeurd.

Je zult me nu vast vaker om je heen willen hebben, zei hij.

Haal dat maar niet in je hoofd, jij verprutst altijd alles, antwoordde ze.

Een meisje heeft een vader nodig.

Ik heb geprobeerd dat op te vangen.

Zijn liefde stond in haar gegrift als initialen in een hardhouten boom. In haar ogen zag hij nog steeds de jongeman die hij was geweest. Dagmar had overwogen om een poosje rust te nemen voordat ze zwanger werd. Colin had voorgoed alle mannen voor haar bedorven. Ze was verliefd op hem geworden en had zich nooit van hem kunnen losmaken. Toen ze jong was, had ze keer op keer gezworen met hem te breken, maar als hij voor haar raam verscheen, lachte en een grapje maakte, begon alles weer van voren af aan.

Op een avond stond haar moeder boven hen op het

balkon en gooide water over zijn hoofd, maar hij riep slechts lachend naar boven: Norea, bij welke naam hou je ons ten doop?

Ik doop je helemaal niet, riep de oude vrouw van boven. Ik probeer je te verdrinken.

Verwarmd door Colins veranderlijke vlam viel Dagmar met haar nieuwe baby in slaap en wenste dat ze het vredige gevoel dat deze bevalling bij haar had opgeroepen voorgoed kon vasthouden. Toen ze haar ogen opendeed, zat er een opgevouwen vel papier tussen haar vingers en Colin was er weer vandoor. Ze las zijn vertrouwde handschrift, voelde haar pijnlijke vulva tot leven komen en verwenste zichzelf omdat ze voor zijn charmes was gevallen. Ze kon zich er niet tegen verzetten, ongeacht wat hij deed. Altijd en eeuwig. En ze las:

Zing nu koekoek. Zing koekoek.
Zing nu koekoek. Zing koekoek.
De zomer komt naderbij.
Zing luid koekoek!
Ontkiemend zaad en wuivend gras,
Zing voor mijn pasgeboren dochter.
Van de ochtend tot de avond,
Zing nu koekoek. Zing koekoek.

Haar hele leven met en tegen hem. Goden en stervelingen. Ouderdom en jeugd. De levenden en de doden. Alles begint en eindigt altijd en eeuwig met een vrouw en een man, schimmen van het godesleven, dan komt de hartstocht. Dagmar streelde het voorhoofd van haar pasgeboren dochter met de intense hoop van een moeder. Dit kind zou nooit lijden, Nyssa niet.

Nyssa werd ongewoon groot, met lange benen en armen. Van het begin af aan klom ze en viel ze. Met haar babykracht hees ze zich van een stoel op de tafel, en Dagmar schoot naderbij om haar op te vangen toen ze over de rand stapte. Al gauw klom Nyssa slingerend bomen in om aan takken te hangen en balanceerde ze op de rand van Norea's balkon. Tijdens haar derde lente klom ze de appelbloesems in, trok al haar kleren uit en klapte voor zichzelf. Ze was niet de hele tijd op haar moeders boerderij, want ze gaf er de voorkeur aan om rond te zwerven langs de kust en over de rotsen. Ze sliep nooit in haar eigen ledikantje in Dagmars kamer. Ze zwierf heen en weer tussen haar moeders grote bed en dat van oma Norea op de buitenzolder boven de keuken. Ze kroop in bed bij de een, verdween midden in de nacht en werd wakker bij de ander. Ze maakte graag een nestje in de schapenzuring voorbij het verste weiland. Ze had haar vaders natuurlijke innemendheid en haar moeders vlugge begrip van de wereld geërfd. Met haar rode krullen, scherpe tong, opgetrokken wenkbrauwen en veerkrachtige pas nam ze iedereen voor zich in. Haar moeder en grootmoeder verbaasden zich over haar kinderlijke dagboeken, die ze stiekem lazen. Het eerste wat ze ooit schreef was: *ik droomde dat oma's haar naar compost ruikte.*

Toen het meisje nog heel jong was, haalde Norea een kleine vioolkist tevoorschijn uit een oude bloembollenzak en maakte hem open. Ze spande de strijkstok en wreef hars op het vergelende haar. Met haar vergroeide vingers duwde ze op de tast de schroeven aan, stelde er een bij, plukte aan de snaren, luisterde, draaide hem iets losser en speelde weer. Ze pakte Nyssa's kleine handen en plaatste ze op de slof en de hals.

Ze zei: Kind, hier heb je een viool en een strijkstok. Het ivoor is afgehakt van krijsende olifanten, de snaren zijn darmen die zijn losgesneden uit schapen die nog warm waren. Het hout is aangevoerd door slaven. Deze kleine viool is geschapen uit het lijden van de wereld. Ben je hem waardig?

Nyssa hield hem stevig vast, zette paardenhaar tegen schapendarm en speelde een enkele noot. Toen koos ze Norea's lievelingslied 'De roodbruine deern'. Er vloeide muziek uit haar vingertoppen. Met haar broer en haar vader speelde en danste ze bij de zomerse vuren op het achterste veld van haar moeder. Ze klom in de appelboom en verstopte zich daar tot iedereen 's avonds naar buiten kwam. Nadat Colin met een fakkel het baardmos had aangestoken, Dagmar een plekje uit de buurt van de rook had gevonden, Danny op zijn trommels sloeg en zijn fluiten bespeelde, Norea de fles onder haar omslagdoek vandaan haalde, en alle anderen uit het dorp bijeenkwamen met hun lepels en violen, sprong Nyssa met een woeste kreet uit de boom tot vlak bij het vuur, al dansend en spelend terwijl ze door de lucht viel. Haar vioolspel kon een zaadje uit de grond lokken. Lachend vroegen ze haar om te blijven spelen. Ze kon alle traditionele wijsjes spelen en voegde daar graag wat extra stokvoering en vibrato aan toe. Iedereen dronk en schommelde heen en weer op oude stoelen tot de poten losraakten en afbraken.

De woest trommelende Danny smakte als eerste tegen de grond; Norea zei op luide fluistertoon tegen Nyssa: Je moeder gebruikt die krakkemikkige stoelen om iedereen uit balans te brengen. Nyssa rende naar haar broer en probeerde hem overeind te trekken, maar verloor haar evenwicht en kwam vlak bij het vuur terecht. Dagmar sprong op en trok hen allebei weg. De oude mensen riepen dat ze meer muziek van Nyssa wilden horen. Toen ze bij de eerste grijze strepen ochtendlicht eindelijk ging zitten, pakte Colin zijn lepels en improviseerde versjes op zijn lenteharige dochter:

Nyssa is de kampioene
Die alle jongens willen zoenen
En fout of niet
Ik geef haar een lied!

Ik neem het! zei Nyssa.

Ze danst hé diedel
En pakt haar fiedel
We hebben ervan genoten
Dus ik geef haar noten!

Ik neem ze! zei Nyssa.

Haar fiedel speelt zo gewaagd
Niet mild of bedaagd
Een mooie stem, ja heus
Ik geef haar de keus.

Ik neem hem! lachte Nyssa.

De twee oude vrouwen in het huis bewaakten de wereld van het meisje met felle liefde, stopten 's nachts haar woorden onder hun kussen, stelden hun eigen woordenschat voor haar open en vertelden haar alles wat ze simpelweg door lang te leven hadden geleerd. Toen Dagmar er bij Nyssa op aandrong om wat te slapen, draaide het meisje zich met een ruk om naar haar moeder, één hand om de hals van haar viool, de andere als vuist gebald om de strijkstok op haar heup en zei: Ik ben graag wakker! Het meisje deed haar eigen zin, en hoe goed Dagmar ook op haar lette, Nyssa glipte altijd weg. Het enige wat ze vroeg was dat ze niet in haar wil werd beknot.

De maan is geen deur. De toekomst is binnengekomen lang voordat zijn omloop is voltooid. Nyssa liep omhoog naar het bos, naar de jachtwal waar Moll woonde.

Daar, in een hol gevuld met rulle aarde, zat de kale vrouw gehurkt op de grond. Op een van haar knokige handen balanceerde haar bronzen pot. Met de andere hand streek ze met een gladgeschuurde stok langs de rand. De pot zond een laag weergalmend gekreun uit, mro ohoh. Moll staakte het ronddraaien van haar hand, waarna het geluid verstomde. Ze keek op. Haar ogen misten iedere uitdrukking en Nyssa kon niet uitmaken of ze iets zou zeggen of niet.

Moll vroeg: Moet je iets?

Nyssa zei: Nee, ik ben er gewoon.

Van het pad afgedwaald?

Nyssa keek ernstig naar de pot en vroeg: Mag ik dat eens proberen?

Moll spuugde een donkere fluim uit. Ze gaf haar de pot en Nyssa hield hem op de open palm van haar hand. Ze pakte de stok op en streek er hard mee langs de rand, maar er gebeurde niets.

Langzamer, zachter, zei Moll.

Opnieuw liet Nyssa haar hand rondgaan langs de buitenkant van de pot en weer hoorde ze niets. Ze keek Moll met opgetrokken wenkbrauwen aan.

Moll draaide een sigaret en pakte een houten lucifer uit haar jurk. Ze schraapte hem langs een rots, zodat er een vlammetje verscheen waarmee ze de sigaret aanstak; ze blies rook uit door een zwart gaatje in haar rechtervoortand. Nyssa boog haar hoofd en bovenlichaam over de pot en probeerde het nog eens. Door haar handpalm en pols voelde ze het metaal vibreren. Ze voelde de klank en toen hoorde ze hem, die van haar een hoger zoemen dan Molls lage gekreun. Ze bewoog de stok steeds in de rondte langs de rand van de pot, speelde met het geluid en voelde de trillingen in haar hand en arm en in haar lichaam. Langzaam opende haar oor zich voor de verhoudingen die door de toonhoogten werden gedeeld. Ze begon zich door haar eigen duisternis te bewegen alsof ze niet met gewrichten en ledematen was verbonden of overeind bleef door de broze kracht van haar gebeente.

Terwijl ze speelde, begon Moll te praten. Moll zei dat Nyssa's grootmoeder soms door de hoge ondergroei met haar sprak en dat ze duisternis kende, maar dat de meeste mensen zich van haar afwendden. Moll zei dat ze Nyssa in het paalhuis had horen spelen en dat ze goed speelde, maar dat er klanken in haar viool zaten die ze nog niet kende. Ze zei dat ze in de aarde zaten en dat ze niet wist of Nyssa ze kon horen, maar misschien wel. Ze zei dat sommige mensen daar gewoon mee geboren worden. Nyssa vroeg: Waarmee geboren worden? Moll sprak verder. Ze zei dat sommige mensen de neiging hebben tot het stellen van vragen, maar leven op een manier die geen antwoorden biedt, en dat sommige mensen dat tolereren en anderen niet. Ze zei tegen Nyssa dat als ze dacht dat ze naar Moll was gekomen om de pot te bespelen dat slechts een excuus was, maar een even goed excuus als elk ander. Ze zei dat niemand weet waarom de een duisternis in haar eigen ziel vindt en een ander niet. Niemand weet waarom. Maar wanneer iemand die drang heeft, dan betekent niet-kijken dat de ziel verkommert en achterblijft in groei en dat ze zal wegkwijnen en alles om haar heen zal verteren zonder dat de betrokkene zal beseffen dat het haar eigen ziel is die wordt verteerd. Ze zei dat mensen er door van alles van werden weerhouden om naar haar te kijken, maar dat angst de allervoornaamste reden was. Ze zei dat mensen hun vroegere zelf voorgoed zouden verliezen als ze zouden zien. Ze zei dat er anderen waren zoals zij en dat ze niet wist waar ze vandaan kwamen of waar ze zouden kunnen zijn en dat ze nooit zo iemand had ontmoet maar dat ze moesten bestaan. Ze zei dat dit een wereld was die zich bleef afwenden van zijn eigen duisternis en die duisternis niet omarmde of ertegen zong of ertegen praatte, maar de duisternis telkens opnieuw probeerde te vergeten. Ze zei dat Nyssa's grootmoeder Norea voor haar zong en dat ze dat prettig vond. Ze zei allerlei dingen die het meisje niet helemaal kon begrijpen, maar toen ze eindelijk zweeg, legde Nyssa de stok neer, gaf haar de pot terug zei: Ik ben niet bang.

Moll antwoordde: Dat komt nog wel.

De as van Molls sigaret lag al lang koud op de grond.

Trek? vroeg ze.

Nyssa knikte.

Moll hees zich omhoog uit het gat en nam Nyssa mee door het bos naar een bergplaats in de grond. Ze haalde een hoopje takken weg waarmee het gat was afgedekt.

Daar lag het overblijfsel van een pas gevild konijn, dat in bladeren was gewikkeld en waarvan de kop en het staartje er slap bij hingen. Met haar grote hand veegde ze wat droge dennennaalden bij elkaar, legde daar behendig wat grotere takken overheen en maakte een klein vuur. Nyssa keek toe hoe Moll het karkas in een pan deed die uit de bergplaats was gekomen en die in vlammen hulde, haar vingers in het vuur stak en botjes van vorige maaltijden overeind zette die onder de as hadden gelegen.

De natuur verbergt zich graag, zei Moll. Het gaat veel verder.

Verder dan wat? vroeg Nyssa.

Verder dan alsof het haar bedoelingen kent. Denk jij dat de natuur haar bedoelingen kent?

Ik weet het niet.

Die kent ze niet.

Nadat het konijn een hele tijd had liggen stoven, stak ze haar hand in de pan en trok met een trekkende draaibeweging een achterpoot van het konijn af. Nyssa hoorde het dijbeen knappen en nam het vlees aan dat haar werd voorgehouden. Toen ze er haar tanden in zette, zag ze dat er een made over de binnenrand van de pan was gekropen, omlaag viel en met het konijn werd meegestoofd.

Waarom blijf je hier? vroeg Nyssa terwijl ze met haar hand vet afveegde aan de grond.

Hier?

In het bos.

Moll schoof het konijn naar één kant van de pan alsof ze haar nog een portie aanbood.

Nyssa schudde haar hoofd. Moll pakte het konijn op en gooide het het bos in. De pan zette ze terug in de bergplaats. Toen doofde ze de vlammen met aarde.

Niet alle vragen zijn verstandig, zei ze. Je wordt oud als je te veel weet.

Ik wil oud zijn, zei Nyssa.

Nog niet.

Mag ik je hut binnengaan?

Zwijgend zaten ze bijeen en Moll zei: Je mag nog wel eens terugkomen.

's Winters raakten de kusten van Millstone Nether helemaal bedekt met grote drijvende ijsschotsen. De jonge jongens sprongen van de ene schots naar de andere en daagden elkaar uit om op zo'n schots langs de kust te drijven op zoek naar een zeehondengat en te doen alsof ze op zee zaten. Ze sprongen van het ene brok ijs naar het andere, terwijl ze lachten en met elkaar worstelden, hun rug koud tegen het ijs op het open water. De ziltige lucht beet in hun wangen en onzichtbare stromingen brachten hun voeten bij dat ze zich naar de grillen van de zee moesten voegen. Er viel bijna altijd wel iemand in het water, die ijlings met bevriezend haar en tintelende vingers naar huis moest worden gebracht om droog te worden. De anderen renden op een kluitje om de natte jongen heen en iedereen stoof uit elkaar wanneer de oude vrouw of man thuis de spijbelaar op het ijs bij zijn kladden greep en foeterde: Er zwaait wat voor je! Slechts één keer was er voorzover de eilandbewoners zich konden heugen een jongen uitgegleden, bekneld geraakt onder een ijsberg en verdronken.

Op een sneeuwrijke heldere ochtend sprong Nyssa uit Norea's bed en rende het koude dorp door naar haar vaders huis. Ze duwde de deur open van de voorkamer waar Danny sliep en schudde hem wakker. Laten we over ijsschotsen gaan springen, zei ze.

Danny wendde zich van haar af en trok het dekbed over zijn hoofd. Je bent te jong!

Welnee, slome sukkel! Ze rukte aan zijn dekbed en zijn armen, sprong boven op hem en zei: Ik ga.

Dat is te gevaarlijk, zei Danny en hij duwde haar van zich af.

Dan ga ik alleen, zei het meisje.

Danny kwam moeizaam uit bed, kleedde zich snel aan en liep achter haar aan naar de kust. Nyssa had al een lange stok gevonden en probeerde hem uit in het water, dat vol kleine schotsen lag. Ze stak haar voet uit om het dikke ijs heen en weer te laten schommelen, zette haar stok in het water en sprong zo met haar lenige benen de kou in.

Snel sprong Danny zijn zusje achterna op de grote schots, die gonzend suisde door krakend ijs. Hij ging op zijn hurken zitten, keek naar de heldere lucht en liet de koppige Nyssa met haar armen haar evenwicht zoeken.

Niet bij de kust weggaan, zei hij.

Waarom niet? zei ze terwijl ze haar stok met een zwaai uit het water haalde en koude druppels op zijn gezicht wierp.

Hou daarmee op!

Nyssa schuifelde naar de rand van het ijs, hield haar stok dwars voor zich en sprong naar een schots die bijna een kwart meter verder lag. Danny krabbelde overeind en sprong achter haar aan terwijl hij riep: Hé, springveer, straks liggen we allebei in de plomp!

Maar het meisje bleef staan en luisterde ernstig naar iets boven op het klif.

Samen luisterden ze tot ze behalve het zachte tinkelen van het ijs kil gekreun hoorden dat over de aarde neerdaalde, en vanaf de jachtwal op het klif hoorden ze het geluid van Molls pot, kleine variaties op een toonhoogte die langs de klanken tussen de noten gleed.

Nyssa vroeg: Is het waar de mannen haar 's nachts opzoeken?

Wat weet jij daar nou van?

Ze stootte de stok langs haar vingers door het oppervlak van het ijskoude water en duwde hen verder van de kust af.

Ik heb ze horen praten achter pa's kamer, zei ze.

Danny zei: Mannen moeten uitkijken voor wie er in de schaduw staat. Ik weet er niets van.

Hij slaakte een kreet, zette zijn benen uit elkaar en liet het ijs schommelen. Met haar handen uitgestrekt naar de lucht en haar warrige haren in lichterlaaie om haar blozende huid gleed Nyssa naar het midden. Danny sprong naar de volgende schots en naar de volgende en klauterde in de richting van de kust. Nyssa zat hem vlak op zijn hielen en sprong, gleed uit en schommelde op de dikke witte vlotten. Hijgend haalde ze hem in toen de aflandige wind kwam opzetten. Ze zaten allebei vast op een grote drijvende schots en het was te ver om naar de kust te springen.

Nou is het met ons gedaan, plaagde Danny, terwijl zijn snelle blik een terugweg zocht. Gevangen op de rug van een slang die zich niet laat bezweren!

Overal om hen heen werd het open water weidser. Nyssa nam een grote sprong naar de kust, maar gleed uit en viel. Door haar afzet begon de ijsschots te deinen en toen ze onder het ijzige zilte water naar de oppervlakte zwom, werd haar weg versperd door een grote blauwe, met vlekkerige patronen bedekte ijsberg. Onder water klonk het tegen elkaar stoten van het ijs als houten klok-ken en ze worstelde niet, maar voelde zich merkwaardig aangetrokken tot deze geluiden die ze nooit eerder had gehoord. Ze hing eronder, roerloos luisterend.

Danny stond nu tot aan zijn middel in het water en duwde tegen de zware schots. Hij zag haar krachteloze vingers omhoogsteken, greep ze beet en trok haar zijde-lings onder de ijsberg vandaan en zette haar rechtop in het water. Met één arm om haar middel trok hij haar tegen de kust op. Daar stond Moll in haar volle lengte zwijgend toe te kijken. Danny trok Nyssa zo langs haar heen, wikkelde haar in zijn natte jas en liep met haar terug naar het huis van hun moeder.

Ik was je bijna kwijtgeraakt onder die joekel, zei hij, en hij trok haar naar zich toe, en Nyssa, drijfnat van het zeewater, veilig naast haar broer, voelde de innige tevredenheid van een zeer geliefd meisje dat opgroeit in Millstone Nether.

De natuur grossiert in wat wij rampen noemen. Er is alleen maar wat druk voor nodig. Stormen. Overstromingen. Aardverschuivingen. Allemaal veroorzaakt door druk, het omzetten van het oude patroon in iets nieuws. De tijd verstrijkt en oude patronen worden vergeten. Maar ze gaan niet verloren en kunnen nog steeds druk uitoefenen, herinnerd of niet. Verteerd door vuur of door vuur. Hoewel Donal had geprobeerd zich erop voor te bereiden, was Dagmar van hem weggelopen langs de kust, had zijn beste vriend in haar armen genomen en hij had niet eens kunnen vermoeden dat hij datgene zou verliezen dat hij het liefste wilde, dat dacht hij in elk geval.

De nacht dat Donal op de vlucht ging, zag Madeleine de krankzinnige hagelbui boven de oceaan. Ze stond gebogen over een pan kokend hooiwater voor een verweesde geit. De warme geur van het hooi steeg in wolken op langs haar gezicht en ze vulde een oude zuigfles met de geurige vloeistof, nam het mekkerende geitje op schoot en probeerde het aan het zuigen te krijgen.

Donal duwde de halve deur open en gooide zijn natte kleren in een hoop op de grond. Hij ging naar de achterkamer en kwam terug met de contrabas in zijn ene hand en een reistas in de andere. Hij zei: Ik ga nu. Ik kom niet meer terug.

Ga je weg voordat het licht is? vroeg Madeleine terwijl ze het geitje verlegde.

Ze gaan trouwen. Het wordt trouwens zo licht.

Het halve eiland wist het en de andere helft vermoedde het, zei Madeleine. Je vriend blijkt geen vriend te zijn, Donal, maar dat betekent niet dat je moet weggaan.

Ik zou gaan kokhalzen wanneer ik ze zag.

Het is een bedrieger, Donal. De tijd heelt alle wonden.

Met de felle woede van een jonge man die verraden is zei hij: Wat kan het jou nou schelen?

Donal pakte zijn contrabas en voer uit over de oceaan. De grote kathedralen in het westen trokken hem niet en daarom zette hij koers naar het zuiden, naar de verspreid liggende droom-ronde eilanden in de Stille Oceaan. Hij verdiende de kost door in rokerige bars te spelen, waar niemand wist dat zijn bas drie eeuwen oud was en weinigen merkten dat hij in kwinten was gestemd. Zijn intonatie was volmaakt, wat weinigen hoorden, en hij ging helemaal op in het onverklaarbare mysterie van zijn klank. Vijfendertig jaar lang sloot hij zich aan bij kleine bands en speelde in ruil voor een bed, een maaltijd of zijn volgende overtocht, en vond zijn rust bij de rustelozen van de Stille Oceaan. Hij speelde alles wat populair was bij uitgeweken Japanners, Indonesiërs en Amerikanen en vulde zijn eenzame tijdelijke bestaan met hun café-verhalen. Hij voer mee op kokosnootschepen en prauwen en bevoorradingsschepen en beschermde zijn bas tegen het zout en de vochtigheid van de Stille Oceaan. Hij speelde bij het opkomen van het tij, en zijn hoogste noten lokten walvissen naar de oppervlakte. Hij slaapwandelde door de jaren en alleen zijn nachtelijke dromen herin-nerden hem eraan waar hij vandaan kwam en wat zijn hoop was geweest. In zijn dromen werd hij gekweld door de onwerkelijke kreten van verdwenen zeelieden, maar elke ochtend schudde hij die spookbeelden van zich af alsof ze zich niet hadden vertoond.

Hij bezat niets dat hem ergens bond. Op een avond voer Donal mee met een rondreizende vogelaar. De man had een papegaai die drieënvijftig woorden kon zeggen in een uitgestorven taal die hij van de laatste levende spreker had geleerd. Hij deed onderzoek op een eiland waar alles aan het sterven was. Vogels die zich vrij van angst hadden laten vertoond begonnen in aantal af te nemen en te verdwijnen. De eerste soort die verdween was een loopvogel, een kwartelkoning. De vliegenvanger, de brilvogel en de honingeter werden zeldzaam. Toen verdwenen het gekrijs, de zang en het gekoer van de ijsvogels, kraaien, en zelfs van de rijk vertegenwoordigde witkeelgrondduif uit de lucht. De verdwijningen stelden de vogelaar voor een raadsel.

Op een avond, het was al laat, zwierf Donal op het

eiland door het bos toen hij boven zijn hoofd een spook-achtige kreet en heftig klapperende vleugels hoorde. Hij richtte zijn zaklantaarn op de kruinen van de bomen en zag een ongelukkige kraai geklemd tussen de brede kaken van een gewone bruine boomslang, genus *B. irregularis*. De stoppelveren van de vogel verdwenen in de bek van de slang en het dier werd levend verzwolgen door het gespierde opgerolde beest en werd bij elke hap- en kauw-beweging steeds verder vergiftigd. Al snel stak alleen de wanhopige snavel van de vogel nog naar buiten, krijsend als een baby. Donal stond te kijken hoe de slang lang-zaam zijn kaken sloot over het uiteinde van de snavel en toen, vermoeid na deze maaltijd, zijn kop liet zakken. De ogen van de slang keken Donal onbevreesd aan. Hij liet zijn licht langs het bladerdak van het bos gaan en zag nu wat er al die tijd al was geweest. De nachtelijke boom-toppen werden bevolkt door een kronkelende massa slan-gen met een voortdurende vraatzucht. Met duizenden kronkelden ze welbewust door het bladerdak, op jacht naar vogels en eieren. Alles wat op de grond leefde had-den ze al verorberd – ratten, skinken en gekko's. Hun slanke gespierde lijven overbrugden grote afstanden tus-sen de takken, en de vogels, die zich van geen gevaar bewust waren, bleven hun nesten bouwen op de stevige dikke takken die hun allesetende buren ook graag be-zochten. De slangen aten alles: *Hedmidactylus frenatus*, *Gehyra oceanica*, *Lepidodactylus lugubris*, *emoia slevine*, *emoia caeruleocauda* en *emoia atrocostate*. Ze aten de laat-ste Micronesische ijsvogel op. Ze aten zelfs de papegaai van de vogelaar op met die laatste drieënvijftig woorden.

Avond aan avond bekeek Donal hoe de slangen op sierlijke wijze het eiland van leven ontdeden, levende kronkelende lijkwaden die zich om levende lijfjes wonden. Ze hadden geen natuurlijke vijanden. Ze stroopten het bladerdak van het bos af als buitenlandse kabeljauwvissers, driest, onvervaard en raadselachtig. Ze handhaafden zich ten koste van anderen.

We kunnen niet kiezen wie het ons vrijstaat lief te hebben.

Nyssa liep samen met Norea, die haar gele hoed droeg, langs de kust, en onderweg gaf het jonge meisje haar grootmoeder een beschrijving van alles wat ze zag. Nyssa zei: Oma! Er hangt een enorm spinnennest onder de aanlegsteiger, vol met jonkies.

Norea, die de toon waarop het meisje dit zei alarmerend vond, antwoordde: Die gaan we doodmaken! Anders krijgen we honderden van die akelige krengen.

Ze gaf Nyssa een van haar schoenen en zei: Eerst de moeder! Het meisje sloeg naar de grote spin in het midden, zag haar vallen en zei: Oma! Ze zwaait met haar poten.

Mooi zo, zei de oude vrouw. Wat doen de jonkies?

Ze klimmen allemaal omhoog door het nest en kruipen daar naar buiten.

Pak het nest op bij de opening, zei Norea, en hou het onder water!

Nyssa stak haar hand uit naar het nest, dat aan sterke, kleverige draden hing. Ze schoof haar vingers onder de kieren in het hout en trok het nest ervan los. Norea stond in het water te luisteren. Toen Nyssa het nest onder water hield, kwam er aan de bovenkant een zwerm jonge spinnetjes uit de opening die over haar arm begon te krioelen.

Oma! schreeuwde ze. Mijn armen zitten helemaal onder!

Norea legde haar brede oude handen om Nyssa's dunne armen en veegde het ongedierte naar beneden, schudde ze af boven het water, sloeg de spinnetjes van haar eigen armen en handen en duwde ze onder water. Toen trok ze het kleverige web van Nyssa's vingers en hield ook dat onder water.

Oma! schreeuwde Nyssa. Ze zitten nog steeds op me.

Norea bukte zich en pakte handenvol zand van de bodem. Daarmee wreef ze over Nyssa's armen, waarbij een heel klein splintertje van een schelp in Nyssa's oog vloog. Het meisje wreef het zand met de laatste spinnetjes van haar armen en sloeg toen haar natte, zilte hand voor haar gezicht.

Er zit iets in mijn oog, zei ze.

Norea liep achter haar aan terug naar het strand en ging naast haar zitten. Ze zei: Trek je ooglid over je oog heen. Dan spoelen je tranen het er wel uit.

Maar het splintertje bleef vastzitten. Nyssa zei: Ik krijg het er niet uit. Ik heb de oogsteen nodig.

Norea zei: Welnee. Geef het even wat tijd. Laat je eigen tranen hun werk doen.

Maar het splintertje bleef vastzitten. Nyssa zei smekend dat ze naar Molls hut wilde gaan, en Norea, die het meisje nooit iets weigerde, volgde haar door het dorp naar Molls pad van uitgespuugde botjes.

Door de gesloten deur, omlijst door de schedel van een walvis en de ruggengraat van een zeehond, riep Norea: Het meisje heeft iets in haar oog.

Dat gaat wel weer over.

Norea duwde de deur open en door de duisternis liep Nyssa op de smaak van aarde af. In een hoekje zat Moll gehurkt op de grond.

Moll zei tegen Norea: Wacht buiten.

Ze bekeek Nyssa's oog, liep toen naar de noordwesthoek van de hut, veegde daar wat aarde weg en pakte een klein aarden potje uit een uitholling in de grond. Ze haalde het deksel van het potje en haalde er een zakje van zeildoek uit. Met haar tong bevochtigde ze haar vieze vinger, stak die in het zakje en pakte de oogsteen uit zijn flesje met suiker. Terwijl Nyssa toekeek, spoelde ze hem af met verdund azijnwater, en uit de zwarte plek in het midden borrelden drie belletjes op.

Moll zei: Ga daar eens liggen, meisje. Met haar smoezelige vinger wees ze op een berg oude lappen in een donkere hoek, die deels schuilging achter de kachel. Nyssa ging op de lappen liggen, ademde de wrange lucht van ranzige lappen in en bewoog zich niet.

Moll zei: Het meisje is in de duistere nacht. Ze lichtte

Nyssa's ooglid op, liet de oogsteen in het hoekje van het oog vallen, trok het ooglid omlaag en hield het bij de wimpers tegen Nyssa's wang. Moll zei tegen de oogsteen: Eet het op.

Ze pakte Nyssa's handen vast, trok haar lange armen recht en legde ze stevig naast haar lichaam. Nyssa durfde haar ogen niet open te doen en zich niet te verroeren. Ze hoorde dat Moll door de hut liep. Een hele tijd bleef ze stilliggen en voelde iets over haar oogbal krassen. Ze liet haar goede oog knipperen, en daarna haar gewonde oog, en zag dat Moll tot haar middel naakt was. Ze zag Moll een kompres leggen tegen een rood ontstoken zweer op haar rechterborst. Beide borsten waren vreselijk verminkt door snijwonden. Nyssa keek naar de verminkte bollingen. Ze hield haar hoofd iets opzij om meer te kunnen zien. Moll voelde de beweging. Ze draaide zich om, trok haar jurk dicht om zich heen en keerde zich toen om naar Nyssa, die haar ogen sloot en doodstil bleef liggen.

Meisje, wat heb je gezien?

Niets, zei Nyssa.

Wat heb je gezien?

Niets, herhaalde Nyssa.

Je hebt iets gezien. Doe je ogen open. Ga zitten.

Het meisje ging zitten. Moll liep door de hut en ging met een lamp die niet brandde op haar hurken naast Nyssa zitten. Ze stak haar hand onder haar rok en gaf Nyssa een lang glazen buisje, waarna ze de kleine pit van de lamp aanstak.

Hou het buisje over de vlam, zei ze.

Nyssa liet het buisje over de vlam zakken, zag hoe het blauwe middendeel van de vlam langer werd en zich door het wit en geel heen drong. Ze hoorde dat het een zuivere toon begon te zingen in het buisje.

Ze voelde dat die toon tegen haar trommelvlies alle andere geluiden overstemde. Moll stak haar grote hand uit en vormde met haar lippen een groteske cirkel over haar rottende tanden en ze begon dezelfde toon te zingen als de vlam deed: hrhrhr. Toen ze de toon goed had getroffen en bij het hart ervan kwam, zong de vlam ineens weer met haar mee, dezelfde toon, hrhrhr.

Moll reikte met haar hand over de vlam heen, trok het ooglid van Nyssa's pijnlijke oog omhoog en pakte er met haar duim en wijsvinger de oogsteen uit.

Moll zei: Muziek komt uit de schaduwen, en ze keek in het gewonde oog. Ze zei: Muziek is een soort oefening voor de dood.

Ik weet het niet, zei Nyssa.

Nyssa! riep Norea door de deur.

Wacht! zei Moll. Het meisje is nog aan het herstellen.

Nyssa luisterde naar de vlam. Heel in de verte hoorde ze de hoge kreten van oceaanvogels en van diep onder de aarde het schuifelen en draaien van salamanders. Nyssa vroeg: Hoor jij al die geluiden ook?

Je moet geen vragen stellen! Met een ruw gebaar hield ze Nyssa een kopje voor en zei: Hier heb je een medicijn.

Het meisje nam een slok, hoestte een beetje, en nam nog een slok. Ze vroeg: Wat is het?

Pijnwijn, zei Moll.

Nyssa dronk alles op; het donkerblauwe sap liet vlekken achter op haar kin.

Moll stootte haar aan en zei: Wegwezen! Wakker worden! Je bent beter en je oma wacht.

Toen trok ze haar trui over haar hoofd en zei door de hals: Moll zit in een donker gat. Laat haar met rust!

Nyssa glipte de deur uit, haar hoofd zwaar van het sterke drankje. Ze pakte Norea's hand. Ze bracht Norea naar huis en de oude vrouw zei dat ze door de achterdeur moest gaan zodat Dagmar hen niet zou zien. Ze gingen naar binnen en klommen de trap op naar de zolder van Norea.

Nyssa zei: Oma, ik voel me niet zo lekker. Ik ga naar het balkon.

Ze ging met haar draaierige maag naar buiten, voor frisse lucht. Norea volgde haar, en toen Nyssa haar maag voelde omkeren, boog ze zich wankelend over het hekje en viel naar beneden als een jong vogeltje dat uit het nest valt. Haar val werd gebroken door een appelboom, en groen fruit viel met plofjes om haar armen en benen.

Ze lag door de takken omhoog te kijken, niet in staat zich te bewegen, en ze proefde bloed in haar mond. Dagmar hoorde de vreemde smak, kwam aanrennen en zag haar dochter met versufte ogen en blauwgevlekte lippen op de grond liggen. Ze vroeg: Ben je net van het balkon gevallen?

Norea riep naar beneden: Heeft ze haar nek gebroken?

Dagmar riep terug: Jij mag blij zijn van niet! Zo te ruiken is ze bij Colin geweest!

Dagmar tilde haar op en droeg haar naar binnen, ze legde haar op de keukentafel en ging in de weer met vlaskompressen. In een waas van vers braaksel en Molls wijn vertrok Nyssa haar gezicht toen haar moeder haar aanraakte; ze begon over te geven. Dagmar veegde haar gezicht af met een doekje. Ze moest haar wakker houden en ervoor zorgen dat die draaierige ogen zich weer zouden focussen.

Nyssa, fluisterde ze dringend en vastberaden, Nyssa, wakker worden.

Wat?

Dagmar hielp haar van de tafel af, bracht haar naar het grote bed en ging naast haar zitten. De ogen van het meisje draaiden weer weg en Dagmar werd angstig.

Wakker blijven, zei ze. Doe je ogen open, Nyssa. Kijk eens naar deze zaden.

Met een zwakke poging om haar kin brutaal naar voren te steken fluisterde Nyssa: Ben ik net van het balkon gevallen?

Daar ziet het naar uit, zei Dagmar en ze tilde Nyssa's hoofd op. Het rolde van haar moeders open hand en haar ogen zakten weer weg.

Wakker worden, Nyssa! zei Dagmar.

Het meisje deed haar uiterste best haar ogen open te houden om haar moeder een plezier te doen. Ze zei: Vertel nog eens over het vlas.

Dagmar schoof een kussen onder haar hoofd en zei: Het vlas is schoon en gerepeld, geweekt en gesponnen. Je verbergt het in de donkere aarde. Nyssa, wakker worden.

Ze moest het meisje wakker houden. Ze zei: De blauwe bloem opent zich in de warmte van de middag en wanneer het plenst van de regen. Dan trekken mensen het gewas met wortel en al uit de grond. Ze drenken het, drogen het, slaan erop met een vlegel, hekelen het en kammen het. Nyssa! Doe je ogen open. Je moet wakker blijven! Wat heb ik net gezegd?

Het meisje vroeg slaperig: Wat doen ze er dan mee?

Ze spinnen er draad van, weven het tot linnen, snijden het en naaien er hemden van die worden gedragen tot het lompen zijn. Hoor je me, Nyssa? Zeg eens wat? Hoe oud ben je?

Het meisje opende haar ogen en probeerde te praten. Ik ben dertien, zei ze.

Wat voor dag is het, Nyssa?

De dag na de vorige avond, zei ze en ze probeerde te gaan zitten.

Toen Dagmar zag dat haar ogen weer normaal stonden, zei ze boos: Ik zal ervoor zorgen dat je vader je niet nu al aan de drank helpt! Ik ben het zat dat Colin mij met de brokken laat zitten. Ik wil niet dat je van balkons valt.

Met haar warrige rode haar dat haar gezicht omlijstte leek ze net een zaadje dat op de aarde is gevallen en dolgraag weer wil ontkiemen. Nyssa lachte haar vaders gekmakende lach. Dagmar bracht haar acht druppels sparrenthee op een suikerklontje. Norea kwam de kamer binnen met soep. De twee vrouwen zaten als vogels op de rand van haar bed.

Nyssa zei: Ik voel me afschuwelijk.

Je overleeft het wel, snauwde Dagmar. Probeer maar te slapen. 's Ochtends ziet alles er beter uit. Ze had geen idee wat ze zou moeten beginnen als het meisje haar schedel zou verbrijzelen en er voorgoed tussenuit zou knijpen.

Nyssa zei tegen haar grootmoeder: Oma, ik zweer dat ik zoiets nooit meer zal doen.

Zit er maar niet mee, zei Norea glimlachend, de helft van de leugens die we vertellen zijn niet waar. Je haar lijkt wel een heksenbezem, zei ze, terwijl ze over het hoofd van het meisje streek. Je moet je eigen narigheid aan-kunnen. Doe wat nodig is.

Nyssa vroeg: Oma, hoe werkt de oogsteen?

Is ze bij Moll geweest? vroeg Dagmar beschuldigend.

Norea en Nyssa zwegen.

Moeder! riep Dagmar uit.

Ze laat haar wel met rust, zei Norea.

Nyssa zei: Dat wil ik niet.

Dagmar vroeg: Wat bedoel je daarmee?

Het meisje zei onoprecht: Dat weet ik niet.

Ik wil niet dat je naar haar toe gaat, zei Dagmar. Ze heeft al een van ons blind gemaakt.

Is dat zo, oma? vroeg Nyssa. Hoe dan?

Er bestaan in de wereld twee soorten wijsheid. Oordeelwijsheid duldt geen vage grenzen en geen verzachtende omstandigheden. Natuurwijsheid heeft zwart in zijn wit en verandert mee met de dag, het gevoel en de temperatuur. Volgens sommige mensen is het het beste om oordeelwijsheid op jezelf toe te passen en natuurwijsheid op anderen.

Nyssa had in Molls hut gezien wat niemand anders wist, maar ze sloeg haar hand voor haar mond, oordeelde niet en sprak er niet over. En hoewel haar moeder het haar verbood, bleef ze alle jaren dat ze opgroeide als kind totdat ze in haar puberteit kwam bezoekjes brengen aan het met rulle aarde beklede hol op de heuvel. Soms praatte Moll en soms liet ze Nyssa de botten zien die ze in de bossen vond. Soms bespeelde ze haar pot en soms gooide ze stenen. Soms staarde ze zwijgend vanuit haar kale schedel, de ogen leeg, zo te zien een bron van weinig vreugde. Nyssa kon niet zeggen waarom ze naar de magere vrouw ging, alleen dat ze zich tot haar aangetrokken voelde, alsof Moll een deel van haarzelf was. Moll was niet van het eiland, maar van zijn grotten en holen, van een plek die dood is voor de wereld daarboven. Haar behoorden rauwe en verscheurende hartstocht toe, en liefdeloze hartstocht. En toch, wanneer Nyssa naast Moll op de grond lag en haar oor tegen de dennennaalden legde en luisterde naar de zware weerklank van de rotsen daaronder, voelde ze met de griezelige intuïtie van een dochter van Dagmar dat geboorte en dood tot dezelfde kern behoorden en dat ze van beide weinig af wist. Dit waren dingen die ze niet in woorden kon uitdrukken. In het diepe gekreun van Molls pot hoorde ze muziek die uitsteeg boven wat ze op haar viool kon spelen. De meeste mensen worden een of twee keer in hun leven aangetrokken tot dingen die hen kunnen schaden en die ze niet kunnen begrijpen. Dingen die noodzakelijk zijn.

Als ze thuiskwam van haar bezoekjes aan Moll staarde ze zonder iets te zien voor zich uit en luisterde naar alle klanken van het eiland totdat Nyssa haar vermaande. Maar Nyssa was afwezig zoals stilte afwezig is in geluid. Ze speelde eentonige dreunen in haar vioolwijsjes tot de mensen zich erover gingen beklagen dat ze de danserigheid van de muziek bedierf. Ze zeiden dat niemand ooit op zo'n manier had gespeeld en dat het niet goed klonk.

Nyssa zei: Het is wat ik hoor.

Ze was niet bang en ze speelde wat ze wilde. Fel en dansend speelde ze waartoe ze zich voelde aangetrokken. Ze had een open oor.

Toen ze op een avond klaar waren met slangen vangen, speelde Donal een oude melodie, terwijl de vogelaar de botjes van een vogel uitlegde en probeerde uit te dokteren hoe het skelet verderging. Hoe heet dat lied? vroeg hij.

Donal dacht even na en dacht nog eens na. Ik weet het niet meer.

De andere man haalde zijn schouders op, draaide de kleine ribbetjes om en zei: Het maakt ook niet uit. Ze klinken allemaal eender.

Dat was niet zo, maar Donal kon het zich niet herinneren. Hij zette zijn contrabas tegen de muur en toen hij het patroon van de botjes zag, herschikte hij ze tot ze goed lagen, alleen het tweede ribbetje ontbrak. Er stierf iets in zijn oor, en daarmee hij zelf.

Waarom blijf je hier zo lang? vroeg Donal.

Om het einde van de wereld te zien. De vogelaar bewonderde Donals snelle oog. Hij kon een slang vangen, in een zak stoppen en die met zijn tanden dichtbinden voordat de slang omhoogschoot en tot de aanval overging. Hij kon naar een wirwar van botjes kijken en de vorm van het levende schepsel zien.

Is deze plek hier het einde?

Het zou hier kunnen zijn. Het zou ergens anders kunnen zijn.

Is dat de enige reden dat je hier blijft?

Er was een vrouw, maar ze is weggegaan. Ze zei dat ze niet kon ademen wanneer ik er was.

Donal werkte verder aan de kleine botjes van een pootje en schoof het schedeltje opzij. Hij zei: We zeggen dat we blijven voor de liefde, op de vlucht slaan voor de liefde, maar een vrouw gaat gewoon vastberaden door op dezelfde plek en blijft zichzelf.

Jij?

Ik heb niet tegen haar gezegd dat ik van haar hield. Ze ging naar mijn vriend. Ik heb niet geprobeerd haar van koers te doen veranderen. Dit is de alleroprechtste liefde.

Waar ga je hierna naartoe?

Donal aarzelde. Ik weet het niet, zei hij.

Wat zou hierna komen? Donals handen zaten onder de littekens van slangenbeten. Hij viste en klom in kokospalmen voor melk, en weefde varenbladeren om een gehavend rieten dak te vervangen. Maar de hete wind voelde nooit prettig op zijn huid. De zee is subtiel – er zweven enge wezens in, verraderlijk verhuld door de prachtigste azuurtinten. Een eiland, zei Melville, is als een plek in de ziel, vol vrede en vreugde, omringd door alle gruwelen van het half gekende leven. Donal keek naar de botjes van vogels die door slangen waren verzwolgen en zei: Naar het noorden toe is een eiland waar een oude vrouw alle vogels begroef die hun nek hadden gebroken tegen haar raam. Dat is de plek waar ik straks naartoe ga.

Hij wilde 's avonds de oude mannen horen. Het was tijd om terug te gaan. Voordat alles verdween. Colin zou de naam van die melodie wel weten.

Nyssa trok Norea's oude nachthemd aan dat ze tijdens haar huwelijksreis had gedragen en danste een één-twee-drie om de oude vrouw.

Ik heb uw kanten nachthemd aan, oma, zei ze. Ik vind het mooi.

Zo'n nachthemd is niet zozeer bedoeld om aan te houden als om uit te trekken, zei de oude vrouw.

Nyssa bewonderde haar ronde borsten onder de dunne stof en keek naar haar grootmoeders rimpelige huid. Zonder erbij na te denken zei ze: Word ik later zoals u?

Een vrouw moet zijn zoals haar aard is, zei de door de tijd verschrompelde Norea tegen het overmoedige meisje.

Nyssa liep naar buiten en ging in het nachthemd naar de jachtwal. Ze snoof de rook op van Molls korte pijp.

Meisje, riep Moll, het staat een vrouw alleen vrij om erg hongerig te zijn, erg eenzaam.

Ze hield Nyssa de pijp voor en zei: Neem een trekje.

Nyssa pakte de pijp, nam een trekje en liet de rook door haar mond kringelen. Ze zag dat Moll een grashalm door een zwart gat in haar tand stak en hem er aan de andere kant uittrok. Toen de pijp koud werd, gaf ze hem terug, en met haar lange, benige vingers stopte de vrouw hem met nieuwe gedroogde bladeren, hield er een lucifer bij, trok eraan en zei: Ik heb een hekel aan mannen met een ring om hun pink!

Nyssa! riep Dagmar vanaf de kust.

Het meisje kroop dieper weg in het hol en zei: Ik ga niet.

Ze was het geroep van thuis zat en werd aangetrokken tot Molls hol als een zwerver tot de ochtendboot.

Nyssa! riep Dagmar.

Het is nat en mistig weer, zei Moll. Een man met een pinkring denkt dat hij heel wat is. Ooit één bij een visser gezien? Of bij een zeeman? Mensen van het vasteland dragen ze.

Moll stak haar hand tussen haar benen, haalde een ringetje tevoorschijn en gaf hem aan Nyssa, die hem voor zich hield en vroeg: Is dit een pinkring?

Moll knikte en met een juichkreet ging Nyssa staan en gooide hem zo hard ze kon over de rand van de jachtwal.

Molls gebarsten lippen vertrokken zich en ze zwaaide met haar blote hand voor haar gezicht. Allemaal weg, allemaal voorbij, meisje. Ik heb honger.

Nyssa gaf haar koekjes uit de zak van haar nachthemd. Moll propte het hele pak in haar mond en spuugde het papier uit terwijl ze kauwde – de kruimels spetterden op haar kin. Het begon te motregenen.

Onder een hoop vodden haalde Moll een gehavend hazenvel tevoorschijn. Ze legde het over Nyssa's hoofd tegen de regen, trok haar dikke, vieze trui uit en knoopte die om Nyssa heen.

In de motregen hield Moll haar handen voor Nyssa's gezicht alsof ze een spiegel vormden en vroeg: Waar is het meisje?

Er is geen meisje meer, zei Nyssa. Alleen een haas.

Ze maakte het geluid van een haas door haar lippen te sluiten en lucht tussen haar tong en gehemelte door te persen. Ik ga dit lied opschrijven en op mijn viool spelen.

Schrijven maakt de geest lui, meisje, zei Moll terwijl ze met haar lange vingers op haar kale hoofd tikte. Een vastgelegd woord loopt de kans een dood woord te worden. Bewaar het in je oor.

Nyssa begreep het niet. Ze klauterde uit het hol en liep naar de kust, beneden, en Moll riep haar achterna: Het meisje is zoals het meisje doet.

Toen Nyssa achttien was, had ze alle muziek die Colin haar had gegeven in zich opgenomen. Hij wilde iets nieuws voor haar verjaardag en koos Bachs 'Chaconne in D'. Hij gaf het haar en zei: Een chaconne maakt veel uit weinig.

Terwijl ze haar viool pakte en vaardig van het blad speelde, en daar haar kenmerkende dreuntoon aan toevoegde, zei ze: Maar papa, ik wil dansen!

Colin lachte. Bach is de essentie van alles wat je met muziek kunt doen. Wil je die dreun achterwege laten? Daar worden we allemaal gek van.

Ze haalde haar schouders op. Ik vind het mooi. Ik wil dat het is als de zee die er altijd is. Over de zee spreken is weigeren over jezelf te spreken.

Colin maakte een moedeloos gebaar. Jij laat je niets zeggen. Je bent net je moeder. Hier, ik heb iets wat je misschien wel mooi zult vinden.

Hij ging naar zijn rommellaatje in de keuken, haalde een paar oude schroeven, een paar gummetjes, wat spijkers en een flessendop tevoorschijn. Hij legde ze in Nyssa's opgeheven wachtende handen, nam haar mee terug naar de oude piano en tilde de voorkant eraf. Ze rook de muffe binnenkant van droog hout en metaal en zag voor het eerst de ingewanden van de walvis. Achtentachtig met vilt beklede hamertjes die niet perfect op een rij zaten, wachtend tot ze tegen de rij snaren zouden worden geslagen. Op het koperachtige stemblok waren inscripties aangebracht van negen prijzen, en de trotse woorden van een vakman: *Hierboven de medailles van verdienste die ons op tentoonstellingen over de hele wereld werden toegekend.* Piano nummer 19407, stond aan de linkerbovenkant gestempeld en langs de ronding van de achterkant stond *Heintzman & Co. Toronto, Canada. Agraffeplaatje gepatenteerd, 10 maart 1896.* Vergeleken met Nyssa's viersnarige viool was deze muffe rij verborgen snaren exotisch. Colin tilde het mechaniek van de piano eruit en draaide het om. De allereerste stemmer had zijn naam in het hout gekrast: *Bob 1900.* Terwijl haar vader toekeek, streek Nyssa met haar vinger over het merkteken van de dode man.

Het is niets meer dan een grote trom, zei hij en hij zette hem weer in elkaar. Geef me eens een schroef aan.

Ze keek toe hoe hij dingetjes uit haar hand pakte en ze tussen de keurige rij snaren propte tot het wel een voddenmat leek.

Speel maar, zei hij.

Ze ging zitten en bekeek het inwendige van de piano. Ze plaatste haar vingers op de ivoren toetsen. Ze sloeg een eenvoudige drieklank in C-majeur aan. Ze hoorde een tik en een bons, een noot en een tok. Ze speelde sneller, koos een andere toonaard en syncopeerde het ritme om de trommelende klikjes van schroeven en bonkjes van gummetjes te horen.

Dit moeten we noteren! zei ze in verrukte adoratie, alsof ze de eerste ter wereld was die het hoorde.

Waarom? vroeg Colin. Wat ga je ermee doen?

Een nieuwe melodie maken! zei zijn uitbundige dochter. Ze schudde haar kroezige haar los, legde haar handen op het toetsenbord en speelde een ander ritme.

Colin luisterde en schonk iets te drinken in. Danny kwam binnenlopen en wilde ook luisteren, hij pakte een zakkammetje en een vloeipapiertje uit zijn zak en speelde mee met zijn zus.

Nyssa stond erop dat haar vader de muziek noteerde. Ze legden brede vellen papier uit, merkten de snaren en schreven op waar de gummetjes, de schroef en de spijker zaten. Colin rook de frisse zilte geur van de huid van zijn dochter toen ze schouder aan schouder zaten. Nyssa stelde zich voor dat wat ze noteerden iets voor het nageslacht was, vastgelegd op een voorbijgaand moment.

Die avond kwam ze thuis bij Dagmar, stralend van genoegen omdat ze iets had opgeschreven wat volgens haar volslagen nieuw was.

Haar moeder zag de gloed van een meisje dat verliefd was en vroeg: Hoe was je verjaardag?

Leuk.

Heb je een cadeautje van hem gekregen?

Bach, zei het meisje laatdunkend. Maar hij is me aan het leren hoe ik een lied moet noteren voor de piano, die helemaal is volgestopt met spijkers en schroeven.

Dagmar was in het verleden ook wel Colins privé-publiek geweest bij die oude piano. Ze had Nyssa zien opbloeien door zijn onderricht en had het vioolspel van het meisje sterker en wilder horen worden. Hij had haar alles geleerd wat hij wist en liet bandjes horen van de oude mensen en opnames uit het buitenland. Zijn muzikale arsenaal behoorde nu ook haar toe en ze stak zonder enige moeite met kop en schouders uit boven alle andere musici uit Millstone Nether. Iedereen hoorde dat Colin zijn stempel had gedrukt op Nyssa's spel en het gemak waarmee ze van stijl kon wisselen, nu al een meester van de traditie. Dagmar dacht: hij is een brug naar haar eigen geest. De hemel mag weten of de brug het zal houden wanneer ze alles speelt wat in haar leeft. Hij had nooit goed tegen de felheid van anderen gekund.

Jaren zijn druppels die uit een vod worden gewrongen. Hoewel Nyssa nog aan haar kindertijd was gekluisterd, was ze klaar voor de sprong, maar wist niets van vliegen af. Ze speelde wat ze mooi vond. In oeroude tijden en in verre oorden zouden de mensen haar hebben vereerd, een jonge vrouw die leeft voor haar eigen lied. Ze zouden voor haar op de trom hebben geslagen en voor haar hebben gedanst. Ze zouden jongemannen naar haar huisdeur hebben gebracht en ze zouden hebben gezongen: Zoet als haar lippen is haar vulva, zoet is haar drank. Maar dat lied was langgeleden verloren gegaan en Nyssa zou haar eigen weg moeten zien te vinden. Ze was voorbestemd. Om te gaan, dieper en donkerder.

Op een zaterdagavond bracht Nyssa vier jongens met hun violen en gitaren bijeen. Ze moesten zich voor haar opstellen als een dikke boomstam. Ze nam hen mee naar het toneel van het paalhuis en toen iedereen was gearriveerd voor een leuke avond, verstopte ze zich achter hen terwijl zij samen een lieflijk wijsje zongen. Toen sprong ze achter hen tevoorschijn, met de jongens als uitgespreide takken aan weerskanten. Nyssa, midden op het toneel, was de wortel op wie ieders ogen zich richten. Ze zette haar strijkstok tegen de snaren, haar vlees een en al macht en opwinding, een jong meisje dat op het toneel stond als een halmpje wintergras en door flakkerende lantaarns werd belicht. Ze slaakte een kreet en maakte een sprongetje bij de eerste doordringende klank van 'Oma's laarzen', een medley die ze zelf had bedacht. De oude mensen schudden hun hoofd bij haar vertoon en noemden haar een echte versierster en lachten erom. Ze wist hoe ze iets moest brengen. Ze danste en fiedelde en voor ieders oog toonde ze haar onverhulde hoop en verlangen.

Ze had flair op de bühne. Niets was aantrekkelijker dan haar onverveerde energie. In haar strakke zwarte spijkerbroek maakte ze een uitdagende heupbeweging naar het publiek en riep ze iets toe, en toen ze terugbrulden dat ze moest ophouden met al dat vertoon, schoof ze langzaam en onverwacht naar de rand van het podium, zweeg even, boog zich voorover en fluisterde toen ineens meisjesachtig en lief: O nee, nog niet. Iedereen moest lachen en iemand riep dat ze haar medley nog eens moest spelen, maar toen deed ze alsof ze buiten adem was en zei: Die kan ik niet twee keer doen, en ze knipoogde toen voordat ze de eerste toon weer liet horen en hun dubbel en dwars gaf wat ze verlangden. Ze bespeelde de mensen van Millstone Nether even goed als ze haar viool bespeelde, en ze waren dol op haar. Via haar huid bespeurde ze wat hun stemming was en spiegelde alles. Ze vulde hun oren met balladen van geliefden. Ze speelde voor eenieder waar hij of zij heimelijk naar verlangde. Ze stampte en draaide over het podium, verleidelijk, hen uitdagend om mee te doen. Haar gezicht had de vorm van een vlaszaadje, haar neus was kaarsrecht, ze had een zandloperfiguurtje en haar wenkbrauwen waren twee vragende boogjes. Ze leefde in de hoogste en laagste registers.

Dagmar stond achteraan in het publiek en luisterde.

Haar dochter bruiste van leven door iets wat een moeder niet kon intomen. Er was geen jongen op het eiland die wist in welke toonaard ze nu eens zou gaan spelen. Ze speelde op alle bruiloften en partijen en had dan nog ruimschoots melodieën ter beschikking. Er was onvoldoende ruimte die ze kon vullen. Die laatste avonden voordat ze verdween, speelde ze buiten in het bos, aan het eind van de weg waar haar vaders huis stond. Onder maan en sterren, de lippen rood, haar haar rood, haar huid in zwart gehuld, teruggetrokken in de schaduw als ze stepdanste, terwijl de geknapte paardenharen in het rond vlogen en als vuurvliegjes het licht vingen, bezong haar schapendarm de onbekommerde verwondering die een jonge vrouw voor de wereld voelt. Haar vereelte vingers drukten en gleden, tikten en tokkelden, haar groene ogen gericht op dingen in onbekende regionen, en nog sneller stepdanste ze totdat ze in de nacht opging in noten. Nyssa van Millstone Nether.

Met een serie basnoten die door zijn hoofd speelden verscheen Donal op de stoep van Colins oude huis.

Hij rookte een sigaret voor de halve deur en belde niet aan. Hij hing wat rond en kwam in de verleiding om rechtsomkeert te maken. Toen ging de deur open en daar stond Colin, ongeschoren en net aan het wakker worden.

Ik heb nog geen thee gehad, kom binnen! zei hij zonder te kijken terwijl hij met zijn handen door zijn haar wreef.

Zwijgend haalde Donal nog een sigaret tevoorschijn, stak hem tussen zijn lippen en stak hem met één hand aan, iets waarop de twee jongens vroeger samen hadden geoefend. Colin keek door de rook heen om eindelijk te zien wie er was. Ogen veranderen niet wanneer al het andere zich wijzigt.

Donal?

Hij deed een stap achteruit, nam de sigaret uit zijn mond en hield hem naast zijn lichaam.

Colin deed de deur open om zijn oude vriend te omhelzen, maar Donal deed een stapje naar achteren om de dreigende armen te ontwijken. Maar weinig mensen hadden hem al die jaren aangeraakt. Colin liet zijn armen zakken en deed ook een stap terug. Hij vroeg ongegeneerd: Heb je een sigaret voor me?

Donal wierp hem een sigaret en vochtige lucifers uit het Stille-Oceaangebied toe.

Colin probeerde hem met één hand aan te steken, maar hij was het verleerd. Er stroomde kalmerende, prikkelende nicotine binnen. Waar ben je geweest? vroeg hij.

Overal en nergens.

Donal onderzocht hoe het voelde om te worden herkend. Hij zag dat Colin weer naar binnen ging en gebaarde dat hij moest binnenkomen.

Waar is Dagmar?

Ze woont hier niet. We zijn uit elkaar gegaan. Een hele tijd geleden, een paar jaar nadat jij was weggegaan.

Ben jij opgestapt?

Zij is opgestapt.

Woont ze nog op het eiland?

We hebben onze kinderen samen grootgebracht, min of meer.

Kinderen?

Twee. Een zoon en dochter die een stuk jonger is.

Colin keek nieuwsgierig naar de littekens op Donals handen. Donal liep achter hem aan naar de keuken en knikte toen hij de whiskeyfles omhooghield.

Wat heb je uitgevoerd?

Ik heb dode vogels verzameld.

Colin gaf hem een glas.

Speel je nog?

Donal antwoordde niet.

Heb je Madeleine gezien?

Ja.

Waarom dode vogels? vroeg Colin.

Vanwege de slangen.

Slangenetende vogels?

Vogeletende slangen. Allesetende slangen. Alles sterft daar uit. Ze noemen het een halfleven. Het is een oord vol slangen. Met tanden achter in hun bek. Hij hield hem zijn handen voor.

Colin knikte. Blijf je een poosje?

Misschien. Ik heb een huis gebouwd aan de overkant van de zeestraat. Donal neuriede hardop het lied dat in zijn hoofd zat. Hoe heet dit?

'Ships Are Sailing', zei Colin afwezig.

De naam kwam even zacht en zeker terug als een vliegende grauwe pijlstormvogel. Donal dacht: Nu kan ik weer gaan.

Daar ga je! zei Colin, zijn glas heffend. Het was net alsof ik wakker werd uit een droom toen ik je zag staan. Ik ga vanavond naar Dagmar, we maken een groot vuur. Mijn kleine meid, Nyssa, speelt viool als de wind. Je zou haar moeten horen. Ze speelt iedereen eruit. Speel je nog?

Donal knikte.

Colin stond op, zijn vingers losjes om het glas, en bestudeerde de vertrouwde vreemde. Toen stak hij zijn hand uit om de ruimte tussen hen te overbruggen en pakte een sigaret uit de borstzak van Donals overhemd.

Nyssa droomde geuren. Ze droomde dat ze rondliep op een plek die werd verlicht door vuurvliegjes. De schemertuinen geurden naar purpurea en lathyrus, en waren overgroeid met de welig tierende roze lathyrus die haar moeder had geplant. De zoetgeurende lobularia verwarmde de lucht. De dag was onverwacht warm geweest en toen was het even plotseling gaan regenen; de avondlucht was doordrongen van het parfum van vochtige ceder en zoet gras. Er klonken vrolijke lachsalvo's uit boomhuisjes en een stem zei: Ze krijgt het oor. Voorbij de tuin, in de donkere schaduwen, zag Nyssa Moll in een kooi. Tegen de kooi zei ze droom-onbeleefd: Wat doe jij hier?

Moll spuugde zeemos uit haar mondhoek en zei: Wie heeft dit allemaal gemaakt, denk je?

Toen werd Nyssa wakker.

Niets kon wachten. Trek en verlangens moesten worden bevredigd.

De hele dag, tot ver in de avond, zaten Colin en Donal te roken en te drinken; ze zeiden weinig en hun monden werden wollig, hun hersens drankhelder. Colin ging naar de kleine kamer achter in het huis en kwam terug met een oude contrabas. Hij zette hem tegen zijn piano, zijn wenkbrauwen uitnodigend opgetrokken. Hij ging zitten en pingelde wat noten op de gehavende toetsen. Donal veroorloofde zich een lachje, maakte zijn sigaret uit, spande de oude strijkstok een beetje en stemde het waardeloze instrument met tederheid. Zodra de stok de snaren raakte, wist Colin dat Donal nooit was gestopt met spelen en hij luisterde met verraste genegenheid naar zijn vriend. Ze hadden elkaar weinig te zeggen, maar ze speelden en grepen terug naar oude melodieën en ritmes. Ze luisterden beiden en beoordeelden elkaar. Colin bewonderde Donals volmaakte gemak, maar Donal vond nog steeds dat het Colin aan iets ontbrak. Toen ze uitgespeeld waren, gaf Colin de fles aan Donal, die hem aan zijn lippen zette en met liefde over de oude contrabas streek.

Heb je opnames gemaakt? vroeg Donal.

Vroeger wel, antwoordde Donal. Heel wat anderen van het eiland ook. Ik heb een tijd op het vasteland gespeeld. Maar het publiek van hier is nog steeds het lastigst. Toen stond hij op en zei: De zon is onder.

Het was dat jaar een matige lente, onbetrouwbaar. Dagmar had naast Colins deur een pol juffertjes-in-'t-groen geplant. Schitterende rozen en witte bloemen hingen weelderig in de duisternis op een zachte wirwar van bleke varenachtige blaadjes. Colin brak er een takje af en draaide het rond voor zijn gezicht. Er hing een doordringende geur in de lucht.

Hij keek naar een grote groep pijlstormvogels die kwam aanvliegen vanaf zee, cirkelend en duikend tot ze neerstreken op het water van de haven.

Hij knikte naar ze. Kijk die stormvogels eens, het zijn er zo veel dat je erover zou kunnen lopen, zei hij dronken.

Geen slangen, zei Donal. Zo was het om een gastvrij huis te hebben, en te feesten en te roken.

Tijd om te gaan, zei Colin. Het zal wel druk zijn vanavond.

Donal rekte zich uit en zei: Ik ga niet.

Natuurlijk gaan we. Ik ga altijd.

Wij?

Ze zal je willen ontmoeten.

Ik ga niet.

Colin keek peinzend voor zich uit. Toen bedacht hij iets. Hij ging naar zijn kamer en kwam terug met een oude broek van zeildoek, een schaar en twee haveloze lappendekens. Hij knipte de beide pijpen van de broek af en spaarde in elk ervan een paar ogen en een mond uit. Hij trok er een over zijn eigen hoofd en gaf de andere pijp aan Donal. Hij sloeg een lappendeken om zijn schouders en gaf de andere aan zijn vriend. Als je deze oude plunje aantrekt, zullen ze je nooit herkennen, zei hij.

Donal trok de kap over zijn hoofd. Je zag alleen nog zijn gehavende handen. Ze stonden oog in oog in hun vermomming, de ogen glinsterend in de grof uitgeknipte gaten, bevrijd van de kluisters van hun identiteit. Jarenlang had Donal sober en als een monnik geleefd, met zijn contrabas als enig andere stem. Terwijl hij zijn kap omlaag trok zei hij: Ze zal mijn stem herkennen.

Dan zeg je niets, zei Colin. Verberg je gezicht zo lang je wilt.

Nyssa smachtte naar haar eigen passie. Daarvoor was ze in de wieg gelegd. Ze was er helemaal klaar voor. De muziek was geschreven; er viel niets anders te doen dan te spelen.

De vlammen van het vuur laaiden hoog op toen de twee gemaskerde figuren zich een weg door het veld zochten naar Norea, Dagmar en Danny, buren en kinderen die met fakkels zwaaiden en zich te dicht overbogen naar het vuur.

Nyssa zag hen eerst en riep: Pappa! en ze rende over het veld om de in mantels gehulde mannen te verwelkomen. Waarom heb je je zo uitgedost?

Je hebt me nu al door! zei Colin. Je mag het geen mens vertellen. We hebben een vriend die zich niet bekend wil maken. Ik hou hem gezelschap!

Dagmar was geïrriteerd door Colins spelletjes en vreemden. En Danny had haar die dag verteld dat hij de vader was van het ophanden zijnde kind van Marta Morris. Ze ging naast het meisje zitten dat zich ongemakkelijk en kolossaal voelde. Colin en zijn vreemde waren dorstig, en Danny schonk glazen whiskey voor hen in die ze door hun kap konden opdrinken.

Nyssa klom in de appelboom en sprong met een juich-kreet naar beneden en bewoog zich dansend en viool-spelend naar het vuur. Iedereen lachte om die bekende truc. Een van de jongens pakte Colins trom en speelde met haar mee en liet de vellen kreunen en vibreren zoals de oudere man hem dat had geleerd. Nyssa danste naar de beschonken Colin toe, die zijn lepels al als slagwerk gebruikte, en ze hield haar viool laag om in zijn masker te spelen. De mannen moesten lachen toen ze die twee zagen en klapten voor de kinderen die Nyssa's wilde dans volgden.

Dagmar, ik voel me niet zo lekker, zei Marta.

Kom, leun maar een beetje achterover tegen mij aan. Kijk Nyssa eens. Ze zal morgen wel weer uitgeput zijn. Danny! Kom eens hier. Zorg je ervoor dat hij zich om het kind zal bekommeren?

Norea riep naar Nyssa: Speel mijn eendenlied eens.

Het meisje hief haar viool en de oude vrouw ging staan en zocht een goede plek uit. Door Nyssa's snarenspel heen kliefde haar heldere, ijle stem de avondlucht, en haar lied deed de kinderen huiveren.

Mijn mamma sneed me klein en deed me in de pan;
Mijn pappa zei dat ik mooi was en dik;
Mijn drie kleine zusjes kluifden mijn botjes kaal
En begroeven ze onder de marmeren stenen.

Norea was al zo lang blind dat ze de vorm van dingen was vergeten. In het begin had ze in beelden en kleuren gedroomd, maar die waren vervaagd en verdwenen en nu was haar duisternis gevuld met de gewaarwordingen waarin ze leefde. Ze kon de zee tegen de kust horen en ze rook de geur van dennen en het zweet van haar familie. Ze rook het sterke sparrenbier dat Colin dronk, Colin, dat charmante, spottende mannenwezen dat Dagmar voor zichzelf had uitgekozen. Nu zou er een achterkleinkind worden geboren. Wat is er met al mijn broers gebeurd? vroeg ze zich af terwijl ze zong. Sommigen zijn waarschijnlijk al dood. Ik heb ze nooit meer gezien.

Toen ze klaar was en ging zitten en het applaus dat her en der klonk verstomde, zette de vreemde zijn contrabas stevig in de aarde, een klein stukje van het vuur af, waar de vlammen op het gehavende vernis schitterden. Nyssa luisterde naar zijn eerste noten en zette toen haar viool weer onder haar kin. Ze versnelde zijn melancholieke ritme en wachtte af tot hij haar zou volgen; de anderen lachten en luisterden naar deze nieuwe speler en Nyssa's uitdaging. Donal voerde haar mee naar een klaagzang die Donal en hij jaren geleden hadden gespeeld en dat 'Moeders verdriet' heette. Met opgetrokken wenkbrauwen volgde Nyssa zijn spel. Hoe bestond het dat deze vreemde de oude muziek kende? Ze had nooit een contrabas gehoord die zo precies op haar viool was afgestemd, zijn diepe klank een perfecte octaaf of twee, drie lager. Colin beviel het niet wat hij hoorde. Hij stond op en gooide met veel kabaal nog wat houtblokken op het vuur totdat de vlammen hoog oplaaiden en iedereen achteruitdeinsde en om genade smeekte omdat het veel te heet werd. Hij gaf Danny zijn lepels en de fles. Danny riep om 'My Dungannon Sweetheart', en zong en sloeg het ritme. Nyssa speelde en Donal viel in met een eenvoudige basmelodie. Danny tuimelde achterover van zijn stoel, waarbij één stoelpoot afbrak en iedereen moest lachen. Marta draaide zich moeizaam om en zei tegen Dagmar: Ik kan maar beter gaan.

Ze wentelde zich op haar knieën en stond onhandig op; ze stond gebogen over haar dikke buik en de grond onder haar was kletsnat. Dagmar trok een jongen weg van mannen die hem voor de lol whiskey uit de fles wilden laten drinken, en Danny viel om, kwam in het vruchtwater terecht en raakte buiten westen.

De vreemde speelde een cadenza die nog nooit iemand had gehoord. Hij speelde luide harmonische boventonen en diep rommelende klanken. Daarbeneden gaapte de aarde. De littekens van de vreemde glansden in het licht en de vrijpostige Nyssa luisterde. Met een gretig verlangen naar wat ze voelde wanneer ze deze man hoorde spelen, zette ze haar viool hoog op haar schouder en ze begon te reageren op zijn glijdende klanken. Zijn strijkstok sneed dieper in de snaren. Ze vond de toonsoort en speelde een paar maten uit een traditionele Schotse dans. Colin lachte en riep: Prima, meid, speel hem eruit!

Verdiept in de muziek en de klank van de zee beneden hen hoorde Nyssa haar vader niet. Maar Donal wel. Hij nam het tempo over en speelde een contrapuntische begeleiding. Ze lachte en ging over in een reel om te zien of hij zou volgen. Toen hij dat deed, gaf ze hem de solo. Het was vreemd om weer voor deze mensen te spelen, maar het beviel hem wel en zijn klanken zweefden over de kale rots naar de kust. Hij luisterde naar Nyssa, hun twee geesten verstrengeld, de volmaakt op elkaar afgestemde trillingen van hun snaren verdoofden hun oren. Donal had nog nooit iemand zo horen vioolspelen als dit meisje. Ze begreep zijn modulatie en stemde haar spel erop af. Hij brak weg uit de reel met een fragment uit Bottesini's 'Reverie', en dwong haar ten slotte om haar strijkstok te laten zakken en naar hem te luisteren. Deze muziek was traditioneel, beheerst en onbekend. Ze luisterde stil, luisterde naar deze gemaskerde vreemde, zijn masker tegen de hals van zijn instrument gedrukt, zijn armen om de kast heen geslagen, maar naar haar toe gebogen, hij speelde voor haar.

Vanaf de andere kant van het veld, halverwege haar huis, riep Marta: Help!

Bij die gespannen klank van haar stem rukte de groep zich los van de hitte van het vuur en de muziek, en snelde over het donkere veld. Dagmar trof haar aan in de buurt van de plantenkas.

Lieve hemel, zei Dagmar, ze is aan het bevallen! Waarom heb je niets gezegd?

Marta sloeg haar armen om zich heen en kreunde.

Neem de kinderen mee naar het huis, zei Norea.

Colin zei: Laten we haar naar binnen brengen. Help eens dragen.

Het meisje schudde haar hoofd en leunde achterover. In het donker deed Dagmar de benen van het meisje uit elkaar om te kijken. Norea ging op haar oude knieën zitten en schoof achter haar om haar hoofd vast te houden. Een hen die je ver moet dragen is zwaar, zei Norea terwijl ze het voorhoofd van het meisje afveegde met haar geaderde handen. We zijn bij je.

Ze heeft geen tijd meer om een wandeling naar het huis te maken, zei Dagmar.

Ze kan haar kind toch niet buiten op het land krijgen? zei Colin.

Het meisje kreunde, draaide zich op haar zij, waarna Dagmar en Norea op de grond gingen zitten om aan de slag te gaan.

Colin legde zijn lappendeken onder haar benen en met een whiskeywalm fluisterde hij in Dagmars oor: Kun je dit wel aan?

Het enige wat ze kon zien was de door bloed opgezwollen opening voor zich waar het hoofdje al uit kwam. Ze siste terug: Je bent dronken. Als je deze baby laat vallen, ruk ik je hoofd van je schouders. Ik kan wel wat licht gebruiken.

Colin zei: Waarom zou ik mijn eigen kleinkind laten vallen? Hij hurkte naast haar neer, streek een lucifer af en hield die er laag bij.

Dagmar schoof voorzichtig haar vingers in de opening om hem verder open te masseren. Het meisje gilde: Stop!

Norea zei zacht maar indringend in haar oor: De baby is er bijna. Persen.

Toen perste ze en schreeuwde het uit, en de lucht-hartige Colin hield zijn lucifer iets hoger en zei tegen haar: Zo is het maar net, er is niets om je zorgen over te maken. Ik heb Danny geboren zien worden. Je zult het er prima afbrengen.

Hou dat vlammetje lager, zei Dagmar, gelijkmatig trek-kend en oprekkend. Het meisje schreeuwde en perste nog eens. Toen ze even rustte, zei Dagmar tegen Colin: Hem geboren zien worden! Is dat het verhaal dat je rondvertelt? Je hebt hem pas gezien toen hij al ruim drie maanden oud was.

Norea fluisterde: Hard persen deze keer, goed naar beneden, alsof je moet poepen. Die baby moet eruit.

Dagmar stak haar hand naar binnen om het hoofdje eruit te geleiden, ze trok zachtjes richting aarde. Ze zei: Je bent er bijna. Wacht even. Nu... ademen en persen. Ik heb het hoofdje. Nu wil ik de rest.

Norea sloeg haar armen om haar heen en fluisterde in haar oor: Persen, je moet persen. Je wilde dit kind. Je wilt nu toch niet dat het doodgaat.

De wrede gedachte die in haar oor werd gefluisterd bracht het meisje ertoe haar hoofd op te tillen uit Norea's schoot en terwijl ze op haar ellebogen steunde zo hard te persen en te kreunen dat ze het gevoel kreeg dat haar ingewanden dadelijk op het veld zouden liggen. Voor het eerst in haar leven durfde ze ruimte in beslag te nemen.

Daar is-ie! zei Dagmar. Ze trok de glibberige baby tevoorschijn en bij het licht van een enkele lucifer zag ze het wat samengedrukte hoofdje van haar kleinzoon,

zijn verbaasde ogen wijdopen, zijn mond samengetrok-
ken van ontzag. Maar er was iets niet goed, en bij het
povere licht zag ze dat de baby blauw werd. Luid en
dringend zei ze: Moeder, pak de baby. De navelstreng.

Het sterke vlees zat strak om het nekje van het arme
kind gewikkeld; de verwarde moeder riep: Wat is er aan
de hand? Dagmar legde de baby in Norea's stevige handen en probeerde de navelstreng los te maken.

Norea vroeg: Lukt het? Wurg hem niet.

Toen deed Dagmar het enige wat ze kon bedenken en
ze rekte de navelstreng met haar vingers uit tot hij brak.
Het bloed spoot over haar gezicht en over de baby en de
moeder. Colin zei: Ze bloedt! En niemand had zelfs maar
een handdoek of een stukje touw. Dagmar stak haar hand
uit naar de ranken die op de rotsen groeiden en brak er
een stuk af, waarbij ze haar handen openhaalde aan de
doorns. Ze bond er de bloedende navelstreng mee af en
zei: Schreeuw niet zo. Je hebt een zoontje! Kijk maar.

Dagmar nam de baby over van Norea, die hem dicht
tegen zich aan gedrukt hield in haar trui; toen veegde ze
hem schoon en wikkelde hem in Colins overhemd tegen
de kou van de vroege ochtend. Daarna legde ze de baby op
de borst van zijn moeder en sloeg haar armen stevig om
hen heen en zei: Daar is hij dan. Zo volmaakt als een
jongetje maar kan zijn. Nu nog een paar keer persen, dan
komt de nageboorte eruit.

Godzijdank dat het eind in zicht is, zei Norea terwijl ze
haar trui weer om zich heen trok. Ze streelde het haar van
de uitgeputte moeder en strekte met moeite haar

stramme oude benen. De viool en de contrabas aan de andere kant van het veld zwegen nu.

Dagmar ving de placenta op en liet hem uit haar bloederige, pijnlijke handen vallen. De anderen riepen: We willen het kindje zien, en ze droegen de jonge vrouw en haar baby en de stramme oude Norea terug naar het huis. Ze hieven alweer een lied aan.

Zet wat jeneverbesthee voor haar, zei Norea.

Hij lijkt op Danny, zei iemand.

Denk je dat hij nu zal willen trouwen? vroeg een ander lachend, en ze zongen en maakten grapjes over kraamcake en bewonderden de baby en de moeder.

Dagmar liet zich uitgeput op de grond vallen en veegde haar pijnlijke vingers af aan haar jas. Colin bleef wat achter bij de anderen, ging bij haar zitten en sloeg zijn armen om haar schouders totdat ze hem wegduwde.

Ga weg, Colin, zei ze, je bent dronken.

Nou en?

Er zat haar iets dwars, een contrabas en een viool die waren verstomd. Waar was Nyssa?

Ze vroeg: Is Nyssa naar huis gegaan?

Dat interesseerde Colin niet. Hij zei: Kom eens even hier.

Met een ruk draaide ze zich om en duwde hem van zich af. Ze verafschuwde de manier waarop hij aan haar zat, zijn lippen waren helemaal dik en nat als hij dronken was.

In Nyssa's spel bij het vuur hoorde Donal zijn eigen toewijding voor het geluid dat handen aan snaren kunnen ontlokken. Ze was als de reflectie van een ijsberg op zee, die licht weerkaatste langs een donkere horizon, wind die plotseling opstak, geen spoor van echte ijsbergen, alleen hun glans in de verte. Oude mannen wisten hoe ze moesten navigeren aan de hand van het kreunen van de zee en een reflectie in de lucht. Omdat zijn oren waren vervuld van Nyssa, kon Donal haar noten niet van de zijne onderscheiden. Nu zou geen enkele andere viool meer volstaan. Niemand anders dan Nyssa. Haar lied of niets.

Toen iedereen over het veld liep in de richting van het geschreeuw, speelde Donal de eerste ritmische noten van 'Narcissus' voor haar. Ze keek naar de gemaskerde figuur. Waarom ging hij niet mee met de anderen?

Van achter zijn masker zei Donal: Dat zijn meer dan genoeg mensen. We zullen nog in de weg lopen. Blijf hier.

Ze luisterde en reageerde op zijn spel, blij hem voor zichzelf te hebben, en ze echode zijn melodieën tot Donal ten slotte zijn contrabas in zijn oude koffer opborg en hem als een vermoeide vriend tegen een boom liet leunen. Hij ging op zijn lappendeken liggen om naar Nyssa's vioolspel te luisteren. Op het veld was weinig veranderd, Dagmars plantenkas was vol. De koele eilandlucht trok door hem heen. Hij ademde de geur in van korstmos op de rotsachtige kust. Hij zag oude, gedrongen dennen boven de golven uitgroeien.

Nyssa speelde wat Tartini om indruk op hem te maken en toen ze uitgespeeld was, haalde ze de spanning van de strijkstok af en legde haar viool weg. Ze maakte haar haar los en liet het als een rode warboel over haar nek vallen en ging vlak bij hem zitten.

Jij bent goed, zei hij, en toen steunde hij op zijn elleboog en streek met zijn vinger zachtjes over haar onderarm.

Wat ben je aan het doen? vroeg ze, maar ze trok zich niet terug.

Sterk. Je handen. Je armen. Is je wel eens verteld hoe zacht de huid hier is?

Ze keek omlaag en zag haar lichaam als voor het eerst. Ze liet hem de huid aan de binnenkant van haar pols strelen en ging met haar wijsvinger over de littekens op zijn handen.

Doe eens omhoog! zei ze ineens, met zijn strakke littekenweefsel onder haar nieuwsgierige aanraking. Doe je masker af. Ik wil je gezicht zien.

Je bent origineel en niet verlegen, zei hij. Ze sprak met meer zelftoegekende autoriteit dan hij zich van de eilandvrouwen herinnerde. Ze was het gewend om haar zin te krijgen. Hij pakte haar linkerhand en bracht die onder het masker naar zijn lippen en kuste al haar vingertopjes. Ze sloot haar ogen en toen stak hij haar andere hand door de opening van zijn overhemd en streek haar handpalm over zijn borsthaar. Hij voelde dat haar sterke vingers zich losmaakten uit zijn hand om hun eigen sporen te volgen. Hij hield zich in, ging achterover liggen en wachtte tot ze naar hem toe gleed en de rand van zijn masker optilde. Hij hield zijn adem in en drukte zich tegen haar sterke schouder en de geur van haar huid. Ze trok zijn masker omhoog en zag een gezicht dat donker was na jaren in de zon, zijn strokleurige haar en zijn beschroomde ogen. Ze voelde zich tot hem aangetrokken en ze maakte haar blouse open zodat zijn verraste lippen haar borsten konden kussen. Hij schoof zijn arm onder haar schouders om haar rug te beschermen tegen de vochtige aarde, en zijn strijkhand en lippen liefkoosden haar. In de gezwollen duisternis streek hij met een vinger over haar voorhoofd en zag het kleine kroonvormige litteken bij haar haargrens. Hij vulde haar oor met zijn snuivende adem. Met haar sterke spieren nam ze gewillig het initiatief van hem over, *due corde*. Ze verbaasde zich over het gevoel hem net zozeer te willen als ze zichzelf wilde.

Dagmar zat onder het bloed en de aarde, haar dunne haar hing slap om haar gezicht, en haar met donkere vegen omrande ogen oordeelden en veroordeelden. Nyssa keek in de ogen die haar even vertrouwd waren als de hare en stond met trage, lenige gratie op, trok haar blouse om zich heen en liet haar viool op de grond liggen. Ze rende over het veld naar huis.

Dagmar liep naar de andere kant van het vuur, pakte de emmer water op en stortte die over Danny uit, die nog steeds buiten westen naast het smeulende vuur lag. Met haar voet stootte ze zijn bovenbeen aan en zei: Het is me wat moois. Je hebt me net grootmoeder gemaakt. Sta maar eens op!

Hij bewoog zich terwijl hij nog op de grond lag. Hij keek onzeker om zich heen en vroeg: Wá?

Je zoon is net geboren. Iedereen is bij mij thuis. En ze stootte hem weer aan en zei: Het is tijd dat je komt helpen.

De woorden drongen langzaam tot zijn benevelde brein door en zijn lange benen, die hem uit pure wils- kracht overeind hielden, sprongen over het veld – d' Nolan in hem dreef hem voort naar nieuw leven.

Donal was gaan staan en voor het eerst in al die jaren keek Dagmar hem in de ogen. Hij verbrak haar zwijgen.

Ze lijkt erg op jou, Dagmar.

Een grasmus sloeg een triller van vier noten. Grijs licht. Dagmar hief haar kin en zei: Laat haar met rust – je bent te oud voor haar. Ze nam zijn ogen op. Hij was dikker en sterker dan hij als jongen was geweest. Hij stak beter in zijn vel dan ooit.

Ze zei: Je kunt hier niet zomaar terugkomen. Dat kun je niet maken. Ik sta het niet toe.

Hij keek op en vroeg: Hoeveel langer had ik moeten wachten voordat ik naar huis kwam, Dagmar?

Jij hebt je biezen gepakt en bent weggegaan. Het is te laat.

Het is niet te laat. Ik ben terug.

Woorden als lege doppen.

Ze zei fel: Het is wel te laat. Ga weg. Ik zal je met mijn blote handen te lijf gaan als je nog eens bij haar in de buurt komt. Laat haar met rust. Ze is nog jong.

Hij torende dik en hoog boven haar uit en hij glimlachte. Niets wacht. Jij hebt niet gewacht. Ik ben weggegaan en jij hebt de draad weer opgepakt. Is dat niet zoals de dingen gaan? Ik ben ook nog jong. Ik hou van de manier waarop ze speelt.

Haar hart werd door een hevig verdriet overmand. Ze haalde naar hem uit. Ik probeerde met je te spelen. Ik heb bij je gezeten. Je zei geen woord. Je wendde je af. Hoe had ik moeten weten dat je iets om me gaf?

Ik dacht dat je het wist. Maar jij speelde niet als zij.

Hij schopte het broekspijpmasker in de as van het vuur, draaide haar de rug toe, liet Colins contrabas staan en liep weg, langs de boerderij naar het huis van zijn zus. Voor alle ramen van Dagmars huis flikkerden lichtjes. Jonge mensen waren in de vroege ochtend kletterend met ontbijtspullen bezig, zongen liedjes voor de nieuwe moeder en haar baby en kibbelden ontspannen met elkaar.

's Ochtends raakte Norea met haar voet een grauwe pijlstormvogel aan die dood voor de deur van haar balkon lag.
Ze ging er op haar hurken bij zitten en spreidde de tere en
sterke vleugels uit, die in een golfdal konden duiken en
over de kam van de golven konden scheren zonder dat er
ook maar een vleugeltipje nat werd. Ze streelde hem. Hij
had een gebroken nek.

Oma, zei Nyssa, die de deur binnenkwam, wat is er
met die pijlstormvogel? Ik ben verliefd.

Hij is dood, zei Norea.

Hoe komt dat? vroeg Nyssa.

Het zijn voorboden van slecht weer, zei Norea. Maar
dat geldt als ze leven. Heeft hij mooie ogen?

Ik geloof het wel, zei Nyssa. Het is maar een zeevogel.

Norea zei: Als je de geest vergeet, gaat hij dood.

Ze voelde een traan langs haar rimpelige kin lopen en
veegde die zorgvuldig weg.

Norea draaide de vogel om in haar stramme handen.
Geduldig keek Nyssa hoe ze de veren streelde en ten
slotte hief Norea haar hoofd op. Zo, ben je verliefd? Ik
zal dit arme dier moeten begraven.

Ja, zei het meisje. Zijn ogen zijn licht in het donker,
zijn handen zijn sterk en zitten onder de littekens, zijn
muziek geeft me evenveel voldoening als mijn eigen
muziek.

Je bent hard voor hem gevallen, zei de oude vrouw. Pas maar op dat je je nek niet breekt!

Nyssa lachte en zei: Daar weet u alles van, hè? Ik geloof dat ik voor hem zou willen sterven.

Ik weet zeker van niet. We gaan dood en zijn voedsel voor de wurmen, maar niet vanwege de liefde.

Norea streek met haar vinger over de ruggengraat van de kleine vogel en probeerde zich te herinneren hoe ze eruitzagen wanneer ze door de lucht scheerden en hard neerdoken op de sloepen om aas uit sleepnetten te stelen. Ze zong:

Vorige week liep ik op een avond bij gene struik
En hoorde twee vogels zingen – een merel en een
  lijster.
Ik vroeg waarom ze zo vrolijk zongen en kwinke-
  leerden
En het antwoord was dat ze twee vrije jongens waren.

Kom mee, Nyssa, zei ze. Help me eens om deze kleine ziel te begraven. Alleen een vreselijke vrouw zou een vogel niet de laatste eer bewijzen en hem begraven.

Nyssa koos een plek uit, in het midden van een pas ontgonnen veld, ver uit de buurt van haar rij vogelgrafjes. Nyssa groef het gat, terwijl Norea zong bij de geopende aarde. Toen droeg ze Nyssa op om grote stenen naar de plek te rollen als een gedenkteken voor het graf.

Dagmar kwam haastig uit haar huis rennen, haar haar nog ongekamd. Wat ben je aan het doen? vroeg ze.

Ik begraaf mijn vogel en ik zet er een *cairn* bovenop.

Je kunt hier geen cairn maken. Ik ga dit veld volgend jaar gebruiken!

Ik denk toch dat je hier niet zult planten, want ik bouw hier een cairn.

Zonder verder nog een woord te zeggen liet de oude vrouw de steen vallen die ze in haar hand hield, draaide zich om en liep tikkend met haar stok over het veld op zoek naar een volgende steen.

Er is op dit godvergeten eiland amper genoeg land voor aardappels en jij maakt hier een vogelgraf! zei Dagmar.

Norea liep door.

De armoedige haven bleef onberoerd door Norea's ge-zwoeg met stenen. Op het graf maakte ze een ovalen rand van stenen. Daarbinnen een cirkel bij wijze van hoofd, een langwerpig ovaal voor een lichaam en twee stenen benen met een kleine doorgang ertussen. Van bovenaf gezien zag de cairn eruit als het lichaam van een vrouw, uitgestrekt op de grond, van ongeveer een meter vijftig bij drie meter. Ze zong:

Lù ò ra hiù ò
o hì o hì ò
Lù ò ra hiù ò.

Norea was nu zo mager dat ze tussen de spleten in de stenen leek te verdwijnen. Nyssa rolde stenen voort tot haar armen er pijn van deden en ze nam de woorden in zich op die haar grootmoeder zong, hoewel ze die niet begreep, en de melodieën, maar die begreep ze wel. De hele dag sjouwde ze met stenen en dacht aan de aanraking van de tong van de vreemde tussen haar vingers, de glans van zijn ogen achter het masker.

Oma, vroeg Nyssa, hebt u ooit het gevoel gehad dat u viel terwijl uw voeten nog op de grond stonden?

De oude vrouw kwam tussen twee stenen tevoorschijn en zei: Binnenkort val ik in de honingpot.

Welke honingpot, oma?

Van de dood, ernstige Nyssa, en ik zou je dankbaar zijn als je me hier naast mijn vogel wilde begraven en erop wilde toezien dat je moeder niets op deze akker gaat verbouwen.

U kunt toch niet doodgaan vanwege een pijlstormvogel, oma, zei Nyssa geschrokken. Er sterven zoveel vogels.

En wat zou een betere reden zijn? Bestaat er een mooier leven dan dat van een zeevogel?

Norea stond op, liep het diepste deel van de cairn in en knielde zo stram als een oude pop neer. Ze zei: Met die oude benen van me hoef ik niet meer aan springen te denken.

Haar perkamentachtige handen waren tot bloedens toe opengehaald aan de scherpe rotsen, en de aarde onder haar vingernagels was zwart. Nyssa kwam dichterbij om

haar te helpen, maar Norea duwde haar aan de kant. Nee.
Jij bent nog niet aan de beurt.

Nyssa ging dus maar op haar hurken zitten en keek
hoe Norea onder haar rokken vandaan een kleine bijl van
klei pakte, die de vorm had van een platte zandloper. Aan
beide kanten van de dubbele kop van de bijl was een klein
uilenkopje gekrast, met vogelklauwen die onder de ogen
omlaag reikten. Norea legde hem op haar rechterhand en
hield hem Nyssa voor.

Dit is voor jou.

Wat is het, oma?

Een bijl.

Waarvoor? De oude vrouw glimlachte, haar gezicht een
doorploegde akker vol rimpels, met haar gele hoed die
haar lichte ogen omlijstte, het onzichtbare onthuld in het
zichtbare.

Nyssa trok rimpels in haar voorhoofd. Ze streek met de
zijkant van het bijltje langs haar gezicht en keek naar het
uitdrukkingsloze gezicht van de uil, naar de twee linten
van gegraveerde tranen die uit de ogen stroomden.

Wat doe je met een bijl van klei, oma? vroeg ze nog
eens.

Kappen, Nyssa. Je kapt het ene leven af om een ander
te beginnen.

Het meisje zwaaide de bijl van klei door de lucht om
een denkbeeldig gevecht te beslechten. Ze rende om de
cairn heen, met haar bijl hoog boven haar hoofd, en
maakte Norea aan het lachen. Toen kwam ze terug naar
de oude vrouw en groef een gat in het hoofd van de cairn.

Ze legde het bijltje in het gat, deed er aarde overheen en stampte de grond stevig aan. Nu weet ik altijd waar hij is, zei ze.

Het was Nyssa duidelijk dat haar oma ging verdwijnen. Haar traanbuisjes waren verwijd en er dropen zoute oceanen uit, haar haar viel uit als dor stro, haar nagels vergeelden als oud blad en als je haar aanraakte, kreeg ze donkerblauwe plekken onder haar huid.

Nyssa zweeg, maar Norea vroeg: Wat scheelt eraan?

U ziet eruit alsof u tot stof vervalt, zei Nyssa.

Ze wreef in haar ogen en nam de hand van het meisje in haar oude benige klauw. Ze zei: Nee, tot honing. Zie je de vogel op mijn schouder?

Nyssa keek, maar ze zag niets meer. Wanneer ze speelden had oma altijd tegen haar gezegd: Er is tijd genoeg. Maar dat was niet zo. De jeugd is even vergankelijk als de blauwe vlasbloem. En laat blijvende vlekken achter.

Donal stopte een briefje in Nyssa's vioolkist, die naast de vuurkuil stond.

Lieve Nyssa,
Vraag niet naar redenen. Jij bent eeuwiger dan de dood. Ik heb niets anders om op te wachten dan op jou. Tref me vanavond bij de stenen man.

158

Met brandende ogen vond Nyssa het briefje en slokte de haaltjes en rondingen van zijn handschrift op. Ze maakte een zoompje van de fluwelen bekleding onder in haar vioolkist los en stopte er het briefje in. Bij zonsondergang verliet ze Norea's cairn en liep ze het pad op dat door het bos naar de kust voerde.

Meisje, riep Moll.

Nyssa keek om, maar kon haar niet zien. De stem leek zowel van de heuvel als van de kust te komen. Ze deed alsof ze het niet hoorde. Vandaag had ze geen zin in Moll.

Je begeeft je op gevaarlijk ijs dat naar zee drijft, zei Moll.

Nyssa zei in het niets: Ik kom morgen wel.

Moll is te scherpzinnig, dacht ze. Ze liep nog een paar stappen verder en toen lag er de grote gestalte van een stervend hert op het pad. Moll zat er op haar hurken bij. De ogen van het dier draaiden weg en het hapte hijgend naar adem. Aan één kant van zijn lange hals zat een groot gezwel dat het langzaam, maar onvermijdelijk, de adem afsneed. Moll aaide het dier.

De doodsstrijd kent verschillende gradaties. Maar het is net zomin mogelijk om stil te staan bij de vreselijke dood van dit schepsel als het mogelijk is om je gedachten te laten gaan over het afhakken van ledematen van een verachte stam of het lichaam van een man te zien kronkelen onder een balk die is neergekomen bij een plotselinge aardbeving. Al die dingen bevinden zich in hetzelfde domein van verdriet. De wreedheid waarin we zijn ondergedompeld en die we elke dag negeren is on-

derdeel van de wijsheid waarover we niet durven nadenken uit angst dat we monsterlijk worden. Het is menselijk om je af te wenden, de ogen en de mond te bedekken.
Het risico lopen om monsterlijk te worden is het risico
lopen om wijsheid te vergaren.

Ik blijf niet, zei Nyssa.

Moll zei niets. Ze zou blijven wachten. Ze wilde de
botten van het hert schoonmaken en drogen om ermee
op haar pot te spelen.

Aan de oostkust wachtte Donal achter een berg rotsblokken, toen kwam hij voor haar staan. Nyssa sloeg haar
armen over elkaar en zei koeltjes tegen hem, alsof ze
optrad op het podium: Ik hou van je spel.

Ik kras maar wat, antwoordde hij.

Je krast niet slecht, zei ze.

Ga je met me mee?

Denk je dat je zomaar kunt...? Ze lachte en knikte naar
zijn handen. Hoe kom je aan die littekens?

Ze was niet zo mager en naïef als hij in het donker had
gedacht. Als ze over de oneffen kust klauterde zoals ieder
eilandkind deed, straalde ze kracht en directheid uit.

Door slangen, zei hij.

Ze vond dat hij er anders uitzag. Hij was groter en veel
ouder. Zonder de dempende werking van zijn masker

bespeurde ze in zijn uitspraak een verre weerklank van het zangerige van het eiland. De klanken van zijn contrabas klonken nog diep in haar oren na.

Waar kom je vandaan?

Heb je wel eens een volmaakte echo gehoord? was zijn reactie.

Hij nam haar mee naar een kloof in de rotsen, trok zich met een zwaai op en verdween in een kleine grot die ernaast lag. Hij stak haar zijn hand toe.

Pak dat sparretje maar vast, zei hij.

Ze greep de stam van een klein sparretje beet dat uit de rots groeide, testte de kracht ervan, wierp zich zijdelings omhoog en pakte zijn hand beet voor het laatste stukje klauteren. In de duisternis hurkte ze naast hem en luisterde naar het ruisen van de golven beneden hen. Hij murmelde een klank diep in zijn keel.

Donal begon te zingen in de mosrijke duisternis van de grot, ah en ah en ah op verschillende toonhoogten, waarbij elke echo de andere overspoelde. Toen streelde hij de zachte huid van haar onderarm en zei: Jij bent de voorwaarde voor muziek.

Voor de eerste keer (want er is maar één eerste keer) voelde Nyssa de duizeling van de hartstocht, het eerste verlangen van de in beroering gebrachte geest en dijen van een meisje. Zijn geur wond haar op en zijn aanraking wond haar op en zijn door slangen aangevreten hand die naar haar gezicht reikte wond haar op en zijn tong tegen haar tong wond haar op. Dit was het korte leven van eerste hartstocht. Ze verbaasde zich erover en stak beide handen naar hem uit. De aarde met haar weidse ruimte geeuwde en vaste rots spleet in tweeën. Donal was verrast door haar gretige verlangen.

Na afloop kropen ze uit de grot en gingen onder de open hemel liggen luisteren naar het water. Ze streelde de littekens op zijn handen en vroeg: Hoelang zul je me houden, nu je me eenmaal hebt gehad?

Voor altijd en een dag, zei Donal, zijn stem helder tegen de melancholie van de schemering. Hij dacht: Ze heeft Norea's stem en Dagmars gezicht.

Noem een dag zonder dat altijd, zei Nyssa.

Donal keek naar de lucht en zei: Jij weet niet wat het is om te wachten of wat het is om niet te spreken.

Ik spreek nooit niet, zei ze lachend.

Donal zei: Soms is het goed om stil te zijn en niets te zeggen.

Dan is het goed om een boomstronk te zijn. Waarom ben je verdrietig?

Donal lachte een beetje triest. Ik honger als de zee naar jou en zou evenveel kunnen opslokken. Soms maakt ervaring een man verdrietig.

En wat is de ervaring die je zo verdrietig maakt?

Ik ben tot ver van huis gereisd, weggegaan van alles wat ik liefhad. Maar dat is nu allemaal weg. Tussen thuis en jou is het één grote leegte.

Nyssa zei: Een reiziger! En bij al dat reizen heb je de liefde opgegeven.

Maar uit nare ervaringen heb ik jou overgehouden.

Ervaring maakt je verdrietig, zei ze spottend. Ik ben

liever met iemand die me laat dansen dan dat ik verdrietig word door jouw ervaring.

Toen glimlachte Donal, maar alleen om haar een plezier te doen, alsof hij een beer in zijn winterslaap was die
ontwaakt en zijn wintergraf verlaat. Hij moest haar over-
halen.

Ga met me mee, zei hij.

En wat zou ik dan doen?

Leven, met mij. Ik zit op roeiafstand aan de overkant
van het water. Kom, speel iets met me dat meer dan bijna
volmaakt is.

Peinzend trok ze haar blouse over haar hoofd uit. Waarom weggaan? En wat was die volmaaktheid?

Ze kon zich er geen voorstelling van maken wat er aan
de overkant van het water was, want ze was nooit van het
eiland af geweest. Ze wilde wel gaan.

Goed, zei ze, met een lichte kus op zijn lippen terwijl
haar vingers de binnenkant van zijn ellebogen streelden.
We gaan vanavond. Maar eerst treed ik op in het paalhuis.
Daarna gaan we.

DEEL DRIE

Ze opende de deur voor hem

M oll liep tussen de dorpsbewoners door die zich bij het paalhuis hadden verzameld en ging voor een scheepslantaarn staan. Het licht ervan vonkte van haar botten af als een hamer die het aambeeld raakt.

Wat voor lied heb je dan voor ons, Moll? vroeg Colin om de bezorgde en angstige stilte te verbreken.

Moll keek op. Ze hief haar armen naar de lucht als een vogel die zijn vleugels heft, legde ze op haar rug met de handpalmen omhoog tegen elkaar gedrukt.

Breng mijn pot, zei Moll tegen een jonge jongen die achteraan stond.

Hij drong naar voren met de pot en legde hem aan Molls voeten. Ze haalde haar handen van haar rug. Haar lege zwarte ogen staarden voor zich uit. Ze pakte een lang bot van onder haar jurk en begon ermee langs de rand van de pot te strijken. Er steeg een laag, hol gekreun op uit de pot. Ze bracht verandering in de druk en de snelheid van het strijken, en de onaardse toon gleed langs die ene lange ononderbroken noot.

Dolente en *dolce*, iets binnenin dat het lot vervulde. Nyssa stond vooraan en luisterde en twijfelde en vond twijfel niet vreemd. Vingers op de snaren. Ze dacht: Ik heb gehoord wat jij hoort en ik heb gezien wat er onder je jurk schuilgaat en de dingen die je jezelf in het donker aandoet. Waarom sta ik hier zwijgend tussen al die van angst vervulde mensen?

Ze nam haar viool ter hand en legde haar sterke wijsvinger op de snaren. Haar middelvinger liet ze zacht op de tweede snaar rusten en speelde een zachte harmonie die samenging met Molls pot. De magere vrouw keek niet op, maar versnelde haar tempo, het geluid werd hoger en ronder, en Nyssa volgde haar, met haar vingers lichtjes over de korte snaren, en maakte het geluid van kleine klokjes. Haar tonen waren iets vluchtigs en stegen uit boven het aanhoudende monotone geluid van de pot. Moll vertraagde het tempo, waardoor de toon daalde. Haar ogen staarden in het vibrerende midden en toen sprak ze tot iedereen die daar bij het paalhuis was samengekomen.

Onder de zee, zei ze, met haar hand langs de omtrek van de pot strijkend, woont de onpeilbare. Hij heeft ogen voor en achter en heeft een dubbele mond. Hij blaast met beide monden, en de mensen die hij tegenkomt worden zo hard in de rondte gedraaid dat ze verdwijnen als ze te bang zijn om hem in het gezicht te zien. Maar als ze dat wel doen, draaien de beide monden naar elkaar toe en kijkt hij in zijn andere helft en gaat weg. Degene die de andere helft van zichzelf ziet, bezwijkt of herrijst uit de duisternis, ontkleed en nieuw.

Ze sloeg haar lege blik neer om naar haar eigen handen op de pot te kijken.

Luister, vervolgde ze, en spreek niet. Hoor het lied van wat verloren is gegaan en op jullie kust is aangespoeld.

En toen stierven haar woorden weg en de klaagzang van de pot vervulde de mensen als het geluid van een storm die aanzwelt over zee. Ze wachten af en zagen haar hand trager rondgaan en hoorden het geluid wegsterven. Ze zagen haar opstaan; ze liet de pot zakken en hield hem naast zich. Toen verdween ze richting zee, de zee die niets misbruikt omdat hij van niets vindt dat het waarde heeft.

De mensen van Millstone Nether hielden zich wat afzijdig, bang voor haar, zoals ze bang zouden zijn voor een gewond wild dier dat zich zonder waarschuwing zou kunnen verheffen en hun oneindig leed toebrengen. Iedereen hield zich stil tegen de achtergrond van nachtelijke geluiden, wachtend tot ze ver weg zou zijn, en toen pakte Nyssa ten slotte haar viool weer op, hief haar strijkstok, stampte met haar voet en brak los in de eerste reel van 'Oma's laarzen'. Langzaam pakten de anderen hun violen en gitaren op en zetten ook in. Toen Donal laat arriveerde met Colins oude contrabas, stond Nyssa midden op het podium en de anderen lachten en dronken en riepen om meer.

Hij ging achteraan staan en keek toe. Hij wilde de spijkerbroek van haar dijen trekken en haar borsten uit haar blouse bevrijden. Hij wilde haar lippen naar zich toe trekken bij de wortels van haar haar. Hij dacht: Wat is ze vurig. Maar ze is nog steeds thuis en ver van mij af.

Ze speelde met blote schouders, haar strakke spieren in het donker verlicht door scheepslantaarns en witte berkenbast. De mensen van Millstone Nether stonden gekromd tegen de felle koude lentewind te luisteren. Muziek leidde hun oren af van de zee, muziek die door het bos trok, over het erf van hun huis en de open ramen in van hun paalwoningen.

Nyssa wervelde rond en schoot naar het midden van het podium, zodat het leek of ze zou gaan vliegen, en gooide er jigs en reels uit. De spieren van haar rug kwamen tot leven. Jonge mensen dansten en togen in paren het bos in om de liefde te bedrijven en te drinken en te roken. Toen ze terugkwamen, stond ze er nog steeds, naakt onder haar kleding, en stepdanste en paradeerde rond en flirtte met de dorpelingen en speelde haar muziek zo intens als iemand die niet meer op deze geliefde plek zou terugkeren.

Toen de andere musici tijdens een pauze gingen zitten, trok ze een hoge kruk naar het midden van het podium, een zwarte riethalm in ijl licht, en stelde haar oor open voor het leven van haar paardenhaar en schapendarm. Ze speelde Tartini's 'Duivelssonate', en ontrafelde het weefsel ervan alsof de noten een vrolijk weeflied vormden. Met razendsnelle streken bracht ze het 'Siciliano' ten gehore, en haar aandacht was zo ver naar binnen gericht dat de mensen die luisterden bang werden dat ze niet zou terugkeren.

Ze ging met heel haar gedachtewereld op in de muziek tot ze werd teruggehaald doordat Donal onuitgenodigd op het podium klom. Met een opgetrokken wenkbrauw keek ze toe hoe hij zijn contrabas neerzette. De krul stak boven zijn hoofd uit en hij had zijn armen om de romp geslagen. Ze speelde de eerste noot van het *moto perpetuo*, en hij haalde diep adem, hief zijn strijkstok en speelde de eerste noot met haar mee. Zijn intonatie was zo volmaakt afgestemd op de hare dat ze het door de houten vloer heen voelde voordat ze het hoorde. Hij creëerde harmonieën die Tartini niet had geschreven. Ze draaide zich om op haar kruk zodat ze met haar gezicht naar hem toe zat en sloot haar ogen. Haar krullerige haar viel naar voren en verhulde haar blote schouders voor het publiek toen ze aan de laatste, moeilijke triller begon. Teder liet Donal zijn lage flageolettonen wegsterven terwijl haar snaren steeds hoger zongen, en hoewel hij nog steeds speelde, kon niemand anders dan zij hem horen, alsof zijn contrabas langzaam door haar kleine viool werd verzwolgen. En toen haar laatste getokkelde toon was weggestorven, ging er een zucht door de mensen, die meer wilden.

Die barok kan ze vast niet lang verdragen, dacht hij terecht toen hij naar haar keek.

En zonder hem teleur te stellen slaakte Nyssa een kreet, wierp haar haar achterover en sprong van haar kruk, die omviel, stampte op de grond en speelde de eerste maten van 'Sandy McIntyre'. Donals lippen vertrokken zich tot een klein lachje toen Nyssa en hij de traditionele wijsjes oppakten.

Een van de jongens trok haar kruk aan de kant en ze danste, draaide en tolde, weg van Donal, terug naar Donal, zo dichtbij dat hij de vernis van haar viool kon ruiken. Ze liet de hals van de viool zakken, scheerde rakelings langs zijn vingers, deed een stap achteruit en wenkte hem met haar ogen in het besef dat hij vastzat aan zijn contrabas als een oude sloep die aan zijn anker rukt. Hij schakelde over op haar ritme en vertraagde het en dwong nu zijn eigen tempo af. Hij wist wat het was om te wachten. Zijn ogen bleven op haar gericht. Hij boog zich zo ver hij kon naar haar toe zonder dat zijn contrabas met een klap op het podium viel. Hij troostte zichzelf, streelde het warme hout met zijn wang, met de geur van hars in de lucht. Er knapten paardenharen die losjes en langzaam door de lucht vlogen, slachtoffers in de onbeduidendheid van stilte.

De muziek vanuit het paalhuis kwam bij Colin weergalmend binnen door de ramen van zijn huisje, waar hij naartoe was gegaan voor meer sparrenbier. Hij hoorde het vertrouwde dreunen van Donals contrabas, de viool van zijn dochter, die 'Òran do Ghille a Chaidh a Bhàthadh' speelde, en 'Réel Béatrice' en 'Close to the Floor'. Tempo, toonsoort en melodie, ze veranderden alsof er slechts één speler was. Nyssa en Donal speelden alleen voor elkaar en luisterden alleen naar elkaar.

De mensen uit het dorp hoorden dat de kloof tussen de musici en de luisteraars zich dichtte. Er vibreerde muziek door de pezen en er pulseerde muziek door de darmen, de botten, het bloed.

Donal snoof de sparrenlucht diep in zich op en zocht naar iets wat zij niet zou kennen en speelde voorzichtig de eerste wiegende noten van een dansachtige beguine uit 'Sonatina Tropicale', en plaagde haar en zette de hoge noten extra aan en plukte een swingend ritme. Hij wilde dat ze zou luisteren, maar ze was nooit stil. Na een paar maten zette ze haar viool onder haar kin, tokkelde de melodie en liep onnavolgbaar parmantig naar hem toe. De mensen uit het dorp moesten erom lachen, en om de geliefde dochter niet af te troeven, gaf hij haar de solo. En die speelde ze. Ze stampte met de hak van haar zwarte laarsje en deed een pas tot buiten zijn bereik. Ze vertraagde de muziek alsof ze nieuwe kracht had gekregen waarmee ze wegzeilde. Ze danste over het podium, draaide zich met haar rug naar het publiek en liet het licht van een lantaarn over haar rode krullen schijnen. Donal pakte zijn contrabas op, kwam in drie stappen naast haar staan in het licht en pakte de melodie weer op, in een andere toonsoort, in zijn allerlaagste register, de enige plek waar ze niet met hem kon concurreren. Ook hij kende het dorpspubliek. Iedereen moest erom lachen. Nyssa grijnsde breeduit om zijn listigheid. Hij overtroefde haar, maar deed dat alleen voor haar. Een laatste keer hief ze haar viool en liet zijn noten herklinken, twee octaven hoger, totdat ze samen, hij met gebogen hoofd en zij met een bezwete hals, de laatste noot van de cadens troffen.

De oude mensen wisten dat wat ze hadden gehoord niets makkelijks voorspelde, maar toch hoopten ze dat ze naar hem terug zou gaan. Ze applaudisseerden en jubelden. Nyssa lachte breed en stond naast Donal op haar hakken heen en weer te wippen.

Met opgetrokken wenkbrauw en haar kiezen op elkaar zei ze: Waarom dacht je dat je zomaar kon meedoen?

Die set was *basso obbligato*, was zijn antwoord. Ze willen meer horen.

Dat willen ze altijd. Hoe kan het dat je onze muziek kent?

Ga je een toegift geven? vroeg hij.

Ik ben ze niets verschuldigd, zei ze.

Zij zijn jou iets verschuldigd, zei hij.

De mensen klapten en Donal fluisterde: Ik ben straks op het strand bij mijn sloep.

Nyssa hield haar viool bij de krul vast en liet hem losjes over één schouder bengelen, haar gezicht zo open als een kaal stuk rots, en ze antwoordde zonder haar lippen te bewegen: Misschien.

En toen gaf ze haar viool aan een van de jongens op het podium en ze gebaarde naar een ander dat hij Donals contrabas moest weghalen. Ze stampte, een, twee. Weer stampte ze: een, twee, drie. Ze sloeg met haar handen op haar bovenbenen, danste naar hem toe, pakte zijn handen, legde ze met de palmen naar boven uitgestrekt naar haar toe en gebruikte ze als trom. Haar voeten bewogen en met klappende handen trommelde ze een van de oude danswijsjes die de jonge meisjes onder elkaar deden, in het bos. Haar schaduwen schampten over Donals stille gestalte en ze wenkte naar de meisjes dat ze moesten komen, en dat deden ze. Ze stonden op en dansten en klapten in een groot web om Donal heen. Een paar violisten begonnen deze wilde dans mee te spelen tot het allemaal zo snel ging dat zelfs die buitengewone musici van Millstone Nether het tempo niet konden bijhouden en iedereen lachend en hijgend achterover viel. De oude mensen waren moe en gingen op huis aan, en de jonge mensen gingen getweeën weg, en meer dan één jong stel experimenteerde die avond voor het eerst met het bedrijven van de liefde, in vuur en vlam gezet door de muziek van Donal en Nyssa. Terwijl zij in het bos op en neer gingen, ruimden de musici op.

Donal ontspande zijn strijkstok. Nyssa legde haar viool in de kist en hing hem met een zwaai schuin over haar schouder. Ze draaide haar wilde haar in een knot, zodat haar lange nek bloot kwam. Toen rende ze lichtjes op haar tenen over het pad naar beneden. Hij kende het pad dat ze nam. Ze zou door het bos lopen en dan afslaan naar het dorp of langs het strand naar het noorden gaan. Donal zag dat ze zich omdraaide om te zien of hij achter haar aan zou komen.

Dagmar lag wakker en wachtte op Nyssa. Ze luisterde of ze haar de deur hoorde binnenkomen, haar laarzen uittrekken en een glaasje van oma's whiskey inschenken. Ze wachtte erop dat ze haar kleren naast het bed op de grond zou laten vallen. Ze wachtte tot ze in bed zou stappen en één been over haar moeder heen zou slaan zoals ze had gedaan sinds ze een baby was, wachtend op haar oude slaapliedje.

Loela loela loela lekker slapen
Kruip maar in je moeders armen
Zij zal je in je slaap verwarmen
Loela loela loela lekker slapen.

Dagmar wachtte en wachtte.

Donal had zijn kamers op palen gebouwd op een stukje kust dat bij een rustige zee op een uur roeien ten noorden van de kust van Millstone Nether lag. Het water rees en daalde. Het was een houten huis van overnaadse planken, begroeid met korstmos, en het had houten dakspanen. Hij had twee kleine kamers gebouwd en een derde, grotere kamer waar hij woonde, kookte en at. Hij zette zijn contrabas in een van de kleine kamers. Zijn handen waren stijf geworden door de slangenbeten. Hij had ze gebaad in zeewier en omwikkeld met sparrengroen en bruin papier.

Hij had geaarzeld voor hij terugging naar Millstone Nether, dat hij op een heldere dag kon zien liggen. Hij had twee seizoenen lang zijn woeste verlaten kust verkend. Hij had de pijlstormvogels laag over de oceaan zien scheren en had de kleine witkeelgorsen gehoord in het bos met hun trillende oe-ie-ie-ie-ieie. Meestal bestond zijn horizon volledig uit water. Dicht genoeg bij, dacht hij, en ver genoeg weg.

Nu ontmoette de gewillige jonge vrouw die niets anders bij zich had dan haar viool, hem bij zijn sloep die aangemeerd lag te wachten. Hij sprong erin en stak zijn arm omhoog om haar viool aan te pakken, die hij in de boeg veilig wegborg tegen het zoute vocht. Ze stapte voorzichtig in het bootje en wilde op het bankje bij de boeg gaan zitten, bij haar viool. Maar Donal stak zijn armen naar haar uit en zorgde ervoor dat ze op het middelste bankje tussen zijn benen ging zitten. Hij reikte om haar slanke lichaam heen en legde zijn handen op de riemen, en zij legde haar handen op de zijne en leunde achterover tegen zijn borst toen hij roeide. Ze opende haar armen en boog zich naar voren toen hij de riemen uit het water tilde om ze over het oppervlak van het water te laten scheren. Hij drukte zijn gezicht in haar haar, haar handen gingen omlaag naar zijn dijen. Hij zei: Kijk goed naar de lucht voor me en hou ons op koers. Er hingen sterren boven hen toen ze in een gestadig tempo over de watervlakte gleden en Millstone Nether voor hun ogen kleiner werd.

Toen het bootje tegen de eerste ondiepten van het vasteland botste, trok Donal de riemen binnenboord en hij sprong eruit en trok het houten bootje op de wal. Er was geen kade om het beschutting te bieden. Hij bond de sloep stevig aan een oude dennenboom, toen bood hij Nyssa, die met haar viool op haar rug klaarstond voor de sprong, de helpende hand. Ze wimpelde hem af en vloog door de lucht, maar haar tenen gleden uit over de steentjes op de kust en ze viel bijna voorover.

Donal ging haar door het donker voor over het korte smalle pad, waar berkenbomen oplichtten tegen de zwarte zee. Aan het eind ervan stond zijn krakkemikkige huisje, waarvan de palen door eb en vloed waren ver-

kleurd. Bij de deur zorgde Nyssa ervoor dat hij zich omdraaide om haar te kussen, en ze drukten zich tegen
elkaar aan in het gemengde licht en donker van hun reis.

Donal duwde de buitendeur open die toegang gaf tot
de grote kamer. De ramen daar boden uitzicht op de kust,
en er hing niets aan de ruw uitgehouwen, kierende wanden. Hij voerde Nyssa door een andere deur mee naar een
eenvoudige kamer, waar zijn contrabas voor een muziek-
standaard stond. Terwijl ze zijn stapel bladmuziek door-
bladerde, wachtte hij zwijgend af. Ze opende een schrift
vol tekeningen van vogels, lichamen van slangen en rep-
tielen. Knappe schetsen van stervende dingen. Ze bladerde het nieuwsgierig door, liet het opengeslagen liggen
en bekeek de muziek op zijn standaard, zwart van zijn
eigen aantekeningen.

Hij zei: Er is nog een kamer.

Ze liep achter hem aan naar de voorkamer, waarin een
tafel stond. Het raam keek uit op de kliffen en een dichte
groep bomen.

Hij zei: Dit zou jouw kamer kunnen zijn. Hier kun je
je viool bewaren.

Ze draaide zich om en zei ernstig: Dank je. Ik heb nog
nooit zo'n geschenk gekregen.

Hij wilde haar meenemen naar het bed in de grote
kamer, maar voelde zich ingesloten onder zijn eigen dak.

Hij zei vormelijk: Heb je zin om de lucht te gaan
bekijken?

Samen namen ze de wijk naar buiten en gingen naar
het bos, waar hij een pad had uitgesleten naar een plekje

dat rustig en stil en hoger was dan alle andere plekjes op die puntige rand van de rotsen uit de ijstijd. In het grijze ochtendlicht draaide ze zich verlangend naar hem toe, kleedde hem uit en trok hem naar de grond om de liefde te bedrijven onder een lucht die heiig begon te worden.

Ze hadden de hele ochtend buiten kunnen liggen slapen, maar de lucht werd ineens erg koud, en ze werden gewekt door een merkwaardig ijskoude regen toen ze tussen de wortels van knoestige dennen lagen te doezelen. Geliefden zijn niet zo dol op slecht weer. Ze stonden op en trokken halsoverkop hun kleren aan. Terwijl haar hand de zijne pakte, renden ze het pad af naar de beschutting van het huis. Lachend droogden ze zich af en warmden zich aan elkaars huid, die voor het eerst door het onbekende van lakens werd bedekt, en toen vielen ze eindelijk in slaap.

Na die rusteloze nacht sloeg Dagmar haar ogen open en zag een witte bloem die met een lange steel was geplukt, Jan-op-de-preekstoel noemden ze die toen ze klein was. Ze keek naar de sierlijke krans van groene blaadjes en de enkele witte bloem. Nyssa had hem in een glas op het tafeltje naast haar bed gezet voordat ze naar het paalhuis was gegaan. Dagmar stak haar hand uit naar Nyssa's kant van het bed om haar dochter wakker te porren, maar voelde niets.

Ze stond op en trok haar tuinbroek en -blouse aan. Ze zette de pot op het vuur en deed theeblaadjes in de theepot. Ze deed de deur open om een blik op de lucht te werpen en zag Norea al op haar balkon boven de appelboom staan.

Hoe laat is Nyssa thuisgekomen? riep ze naar boven.

Goedemorgen, Dag.

Als ze wakker wordt, zeg dan dat ik in de plantenkas ben. Wil je je thee boven hebben?

Vanochtend vroeg hoorde ik zielen wegglippen onder water, zei Norea met krakende stem.

Nee, dacht Dagmar, en toen voelde ze een kille wind. Ligt ze niet in jouw bed?

Norea schudde haar hoofd.

Is Nyssa gisteravond niet thuisgekomen?

We hebben haar schoenen niet begraven.

De ketel begon te fluiten.

De tijd vertraagde. Dagmar doorzocht het huis en de zolder van Norea. Het hele huis was leeg. Ze liep op een holletje door de plantenkas en rilde toen de buitentemperatuur daalde. Ze ging op weg naar het veld.

Vlas is een gewas dat de grond zuivert. Dagmar zaaide het als wisselgewas. De grond van Millstone Nether was er niet voor geschikt, maar ze hield van de zaden en van het kortstondige meer van blauwe bloempjes en dus vertroetelde ze het gewas met alles wat in haar vermogen lag. Ze liep haar ongeschikte tuin in. Het groen van het vlas kwam net op, onvolgroeide kelkblaadjes en helmknopjes verborgen hun blauwe tint nog. Ze stortte zich op de rijen plantjes. Dit zouden geen droge zaadbollen worden – ze ging ze om zeep helpen.

Nyssa was weg.

Haar kleine akker met vlas lag bezaaid met oud haksel. Ze trok een rij plantjes uit de grond en vertrapte ze, toen nog een rij. Ze trok de tere blaadjes eraf tot haar handen ervan gingen bloeden. Ze groef de kostbare wortels op. Ze gooide ze weg en spuugde op de grond. Ze zou alles met de grond gelijk maken en een uitgeholde akker vol stenen achterlaten. Ze sloeg om zich heen tot ze uitgeput was, toen liep ze naar het huis van Colin om te vertellen dat Nyssa was verdwenen.

Aanstormende zee – hoge grijze golven slaan tegen de kille rots. Colin sprak vanuit de blasfemie van het weten: Ze is geen kind meer, Dag. Ze heeft er het recht toe om weg te gaan.

Dagmar tierde terug: Ze is meegenomen.

Ze wilde zijn gezicht openklauwen tot rauwe bloed-rivieren. Ze wilde hem toetakelen met haar planten-schepje. Ze wilde zaden in zijn ogen stoppen om hem blind te maken. Ze zou zich vrijpraten van zijn wet.

Colin antwoordde tegen haar kille ogen: De oceaan bestaat uit tranen van moeders. Hoe onverwachter een jong meisje weggaat, hoe minder ze wil worden gevonden. Er waren voorboden.

Welke voorboden? vroeg Dagmar.

Patronen, zei hij. Ze was klaar om te gaan. Wist je dat niet? Moeders zijn soms de laatsten die het weten.

Dagmar voelde dat haar hand zijn wang trof. Wat wist hij over voorboden?

Hij greep haar pols stevig beet en bracht hem omlaag, tussen hen in, even verbijsterd over haar kracht als veertig jaar geleden. Hij zei: Het is zoals het moet zijn en altijd is geweest.

Was hij niet bang?

Ik zal niet buigen voor een wet die mij niets zegt, dacht ze. Welke goddelijk gebod heb ik overtreden?

Ze spuugde op de vloer tussen hen in en ging weg.

Thuis zei ze niet voor het eerst tegen Norea: De goden zullen me ertoe drijven dat ik hem vermoord.

Norea antwoordde: Dat is geen god die spreekt. Dat is je hart. De waarheid is dat ze is verdwenen.

Ik weiger die waarheid te aanvaarden.

Het is de waarheid.

Fout! Díe waarheid, daaraan ga ik dood.

Wat heeft dit voor zin, Dagmar? Ze is al weg. Het is gebeurd, ze is verdwenen.

Nu waren ze twee oude vrouwen die ieder om hun eigen dochter treurden.

Norea zweeg even en zei toen zacht: Toen ik mijn melkrondes deed, vond ik van alles en nog wat, alleen omdat mensen tegen me zeiden dat ze iets zochten. De zijkant van mijn wagen hing vol met briefjes. Op een keer vond ik een porseleinen theekopje dat iemand kwijt was, zonder dat er ook maar een scherfje af was. Kom, we gaan signalen uitzenden naar de noordkust. Dat is in elk geval de plek waar hij zit. Als je je verdriet afmeet naar wat ze waard is, zal het grenzeloos zijn. Kom. Een meisje als Nyssa verdwijnt niet. Ik zal je helpen om haar terug te krijgen.

Dagmar ging haar kamer in en kwam zwijgend terug in haar oudste bloemetjesjurk.

Ping.

De ijsregen begon met een enkele ijskristal die tegen het vochtige glas van Dagmars plantenkas viel en smolt. Een druppel die onschuldig droop. En toen nog een.

Ping.

De mensen van Millstone Nether lagen in hun bed te luisteren naar het begin van de ijsregen. Voorjaar-winter, dachten ze slaperig en ze trokken het dek hoog op van-wege de temperatuur die merkwaardig daalde. Late maartstormen – ze hadden heel wat van dit soort lentes te verduren gehad. Wispelturige kristallen. Van over de oceaan dwarrelde er een vreemde ijssneeuw op de kust.

Toen de oude mensen de volgende ochtend in een koude kamer wakker werden, terwijl er met ijs ver-mengde sneeuw viel, zeiden ze berustend over het weer: Ach, de oude vrouw is haar ganzen weer aan het plukken.

Ze noemden de sneeuw vogelpoep en keken naar de donkere wereld die al lichtjes met ijs was bezet alsof hij door de blik van een koortsig oog werd gefixeerd. Doorschijnende hulzen van ijs bedekten de jonge bladknoppen en er vormde zich ijs in het ondiepe water langs de kust, dat tinkelde als gebroken glas. Toen de dag vorderde en de ijsregen nog harder neerkwam, de ene vlekkerige laag na de andere, een schuimende ijzige stortbui die het eiland bedekte. Eén unieke kristal per keer.

Ping.

Norea en Dagmar liepen door de ijsregen en deelden foto's uit van Nyssa's gezicht met wat woorden eronder gekrabbeld aan zeelieden die haastig de opstekende storm ontvluchtten. Ze vroegen de mannen van elders om ze op te hangen aan de noordkust, waar een meisje ze zou kunnen zien. Ontroerd door de twee oude vrouwen die diep waren weggedoken in hun dikke jas namen de zeelieden hun tekens aan en prikten ze op aan de andere kant van de grote rivier. De wind verscheurde ze en stukjes Nyssa fladderden door de hele streek. Het lachende meisje met al dat rode haar, met haar viool onder haar kin. Overal stukjes van Nyssa. Even gewoon als gevallen blaadjes.

Ping.

In het begin kropen de mensen dicht tegen elkaar aan zoals ze altijd deden bij noodweer, om gezamenlijk de ellende het hoofd te bieden. De eersten die eronder leden waren de hoogbejaarden. Met hun perkamentachtige huid en vermoeide hart zaten ze dicht bij petroleumlampen en primitieve kachels. Met pijnlijke armen hielden vrouwen warm ingepakte baby'tjes in een draagzak tegen hun huid.

Ping.

Bij het huis van Dagmar bogen de takken van de stramme oude dennenboom achter de plantenkas door van het zware, glinsterende ijs. Een wonderlijk gezicht. Elke naald was in glanzend ijs verpakt, elke dennenappel glansde van het ijs. Er ontstond een steeds dikkere laag op takken die piepten en kraakten en ten slotte afbraken onder het gewicht. Als lange schoorvoetende tranen vielen er takken van de boom af totdat de hele boom krakend omging en in de ijskoude wind met een spectaculaire klap de plantenkas verpletterde. Verbrijzeld glas vermengd met ijs lag in hopen scherven rond geplette groene bergen planten en tomatenstekjes. Rijen van Dagmars blauw met zwart doorschoten viooltjes werden omgemaaid door glas, een paar uur oplichtend onder de bevroren blaadjes. Er vielen gezwollen ijstakken die steenkoud op de aarde lagen. Dagmars stralende en moeilijk houdbare roze bougainvilleas, zelfs haar *Opuntia compressa*, met zijn gele cactusvijgen, waren niet bestand tegen de ravage van ijs en glas. Ze wikkelde dikke lappen om haar appelbomen. Ze stookte Norea's zolder warm met de houtkachel en ze kookten op het fornuis in de keuken. Ze stond met Norea op de veranda te kijken naar het knisperende, wuivende wintergras. Ze praatten over Nyssa en zetten lucifers in op welk bengelend blaadje als volgende zou draaien, afbreken en vallen.

Tijdens de kwelling van Nyssa's afwezigheid haalde Dagmar zich haar haar, haar muziek, haar brede lach, haar groene ogen voor de geest. Weg. Geluiden, ontmoetingen, liefde waaraan ze gewend was. Weg. Bij elke minuut die wegtikte werd Dagmar langzaam gebroken, haar ribben werden gekraakt, haar buik werd opengesneden, haar hart rauw in stukken gereten, haar longen werden doorboord. 's Nachts werd ze wakker en dacht na over wat ze nog meer kon doen. Nooit zijn we dichter bij onze goddelijkheid dan bij het verlies van een dierbare. Wanneer we terugdenken aan wat er was, begrijpen we op een onverdraaglijke manier hoe sterfelijk en beperkt we zijn. Hadden we maar als goden gedacht. Een verlies lijden is iets eindeloos omdat we ervan overtuigd zijn dat alles anders had kunnen lopen indien we als het eeuwige hadden kunnen denken.

De mensen van Millstone Nether zaten aan hun oude radio gekluisterd en luisterden naar de krakerige stemmen van weermannen voor de scheepvaart, die zeiden dat ze in het vroege voorjaar nog nooit zo'n vreemd oplopende luchtdruk hadden meegemaakt. Alle knoppen van de lage struiken waren dood en de kleine harde bessen vroren eraf zonder groen te worden. Dagmar liep over haar erf en langs de kust, keek naar de overkant van de grote rivier en treurde om Nyssa. De schemering zette in, zodat iedereen op de hele wereld tot rust kon komen, behalve zij.

In het huis straalde ze voor hem. Hij drukte zijn nek dicht tegen die van haar. Ze konden niet genoeg van elkaar krijgen. Ze vrijden voordat ze gingen slapen, 's nachts wanneer een van hen wakker werd door een kronkeling van een droom of de rusteloosheid van het lichaam, 's ochtends bij de eerste aanraking. Ze sjouwden hun instrument van kamer naar kamer om samen te spelen en lieten zich op de vloer zakken om te vrijen. Ze kookten en aten samen en wisten niet wat voor dag het was. Wanneer ze er genoeg van kregen om binnen te zitten, kleedden ze zich warm aan om buiten te wandelen en te kijken naar het genadeloos koude ijs. Nyssa stopte al haar haar weg onder een oude ijsmuts van Donal en bracht hem tot verrukking wanneer ze de muts in de wind afdeed en haar rode krullen om haar gezicht vielen. Ze rekte zich uit en liep met grote passen en deed alsof ze niet wist hoezeer hij genoot van haar haar, haar ogen, haar aanraking. Nyssa zei: Ik wil nooit meer teruggaan, en Donal zei ernstig: Dat hoef je niet.

Speels bedacht Nyssa nieuwe manieren om elkaar niet aan te raken.

Lig eens stil, droeg ze hem op een middag op toen ze naakt op bed lagen. Hij was trots op zijn goedgevormde lichaam en zijn onverzadigbare vingers trommelden afwezig op zijn eigen huid. Tussen het zoenen door streek Nyssa met haar vinger over de onweerstaanbare rondingen van zijn *Linea semicircularis* en zei: Je bent erg fit voor je leeftijd.

Zonder erbij na te denken hief de rad van de tongriem gesneden Nyssa haar lippen van zijn huid, sprong van het bed en zei: Ik ga je tekenen. Je mag je niet verroeren.

Ze ging op een holletje naar haar oefenkamer en kwam terug met een scherp potlood en een stapel afgedankt muziekpapier. Vreemd dat je niets anders in huis hebt om op te tekenen dan muziekpapier, zei ze.

Nyssa gooide haar kleine kritische kanttekeningen eruit zonder erbij na te denken. Ze kende geen andere manier van praten. Dagmar en Norea hadden de woordenvloed van het meisje nooit beperkingen opgelegd. Ze verdroegen haar gebrek aan tact omwille van haar waarheid. Na Nyssa's koninklijke gebod lag Donal stil terwijl haar onbevangen blik op hem rustte. Ze tekende. Speels stak hij zijn hand uit om haar teennagels aan te raken, witte halvemaantjes.

Nyssa zei: Niet doen. Niet bewegen, anders verscheur ik het en moet ik weer helemaal opnieuw beginnen. Net als een kind ging ze helemaal op in haar spel, het schetsen van zijn lichaam op het vel met de notenbalken.

Hij deed wat hem werd gevraagd en lag te kijken naar het afnemende licht buiten, alleen zijn ogen mochten haar lichaam liefkozen, de schuine stand van haar nek, de *punto d'arco* van haar mooie borsten. In gedachten componeerde hij nieuwe variaties die hij zou uitvoeren wanneer hij eindelijk zijn huid tegen haar huid mocht drukken.

Ze liet hem haar kunstwerk niet zien. Ze gaf hem het stapeltje papier en het potlood en zei dat hij haar moest tekenen. Hij maakte een vlotte schets, wierp het papier aan de kant en wilde haar aanraken.

Ze zei: Niet goed genoeg. Ik wil details. Doe alsof ik een van je vogeltjes ben.

Hij ging rechtop zitten en zette haar lichaam in een pose neer om haar even te kunnen aanraken en begon haar te ontleden en te tekenen. Hij begon met de hand die de strijkstok vasthield en toen hij klaar was met de zichtbare en onzichtbare complexiteit ervan – zesentwintig kleine botjes in de vingers en pols, soepele gewrichten, nagels, voorspellende handlijnen – was de kamer volledig in duisternis gehuld. Er was nog heel wat te doen. Haar zachte onderarm, haar gespierde bovenarm, de plooi aan de binnenkant van haar arm wachtten ongetekend.

Nyssa zei: Laat me eens zien.

Ze was verrast toen hij de tekening van haar hand omhoogehield. Ze gooide het papier op de grond en verstrengelde zich met hem met het pure plezier van zelfopoffering *à deux*.

Keer op keer deden ze het tekenspel. Nyssa's portretten werden abstracter. Ze werkte meer in klank dan in vorm. Ze bracht Donals lichaam terug tot een kluwen van noten op een notenbalk, een nieuwe muziekcompositie *a capriccio*. Ze nam de vellen stiekem mee naar haar oefenkamer om te spelen. Donal ontleedde haar, stukje na stukje na stukje, en prikte zijn vellen op de wand, als samengestelde delen van haar portret, van afmetingen zoals het hem beviel – een hand van dezelfde afmeting als haar hoofd, haar prachtige tenen groter dan haar borsten, de zolen van haar voeten. Nyssa droeg hem op om alleen dat deel van haar te liefkozen dat hij net had getekend, en ze zwelgde in het genot dat hij elk liefdevol geobserveerd stukje van haar lichaam kon bezorgen.

Ze hield van het nieuwe dat op de voorgrond verscheen en bedacht nieuwe manieren om zichzelf van Donal gescheiden te houden en beweerde dat het uitstellen van elkaar aanraken nog heerlijker was. Soms stopte ze halverwege het vrijen, stapte uit bed en liet hem luisteren naar haar vioolspel. Soms beval ze hem op te staan en *basso buffo* met haar te spelen. Na afloop begonnen ze weer helemaal opnieuw.

Op het eiland van de bruine boomslangen ontkwam maar één soort gekko aan uitsterving. Wanneer hij werd gevangen, ontdeed hij zich van zijn huid en liet de slang met niets anders in zijn grondig werkende kaken achter dan met een droog zakje. Donal had bewondering voor de listigheid van de gekko. Hij sloeg Nyssa gade terwijl de dagen verstreken en hij kreeg het gevoel dat ook zij haar oude huid afstroopte, maar hij kon niet zeggen waarom.

Geen enkel ander dier lijdt zoveel als een kwetsbaar mens die door liefde wordt aangetrokken en is voorbestemd voor de oneindige mogelijkheden van wijsheid. Nyssa was helemaal in de ban van Donals snelle toewijding aan de problemen en superioriteit van paardenhaar op schapendarm. Hij liet haar kleine foefjes zien om aan haar viool een zuiverder klank te ontlokken. Hij zei: Je kunt je instrument trainen, en hij probeerde het uiterste uit haar talent te halen. Alle noten prentte ze moeiteloos in haar hoofd. Als ze naar bladmuziek keek, ontdekte ze de patronen. Ze kon zich zo tevreden als een kat uitrekken bij Donals openlijke verrukking over haar snelle oor en vlotte vingers. Ze vond intonaties die goed samenklonken met de zijne en waarbij al het andere geluid van hemel en aarde verdween.

Nyssa kreeg er echter genoeg van dat de toonhoogten zo perfect op elkaar waren afgestemd. Ze plaagde hem door iets hoger of lager rond de toon heen te spelen. Toen hij haar niet kon teruglokken, speelde hij harmonieën. Zijn lange snaren klonken luid, wat haar kortere snaren niet konden. Hij trof de toon en liet zijn vinger langs de snaar omhooggaan vanaf de kam zonder hem echt te dempen. Hij bracht een diepe, weergalmende klokkentoon voort die telkens door haar plagerige dissonanten heen klonk. Ze luisterde en werd op een vreemde manier ontroerd als ze hem trots hoorde etaleren wat hij in zijn mars had. Ze keek naar zijn grote handen die geluiden zochten die haar zouden kunnen bevallen; ze hoorde dat

191

hij ongemakkelijk op zoek ging naar iets anders dan zijn zo geliefde welluidendheid, en dat wekte tederheid bij haar op. Ze speelden voor zichzelf en voor elkaar. Ze speelden en ze speelden als één, en soms, wanneer ze klaar waren en de muziek verstomde, waren ze intens verbaasd en zelfs een beetje bang.

Op een dag, toen het begon te schemeren, lag Nyssa op het kleed waar ze zich hadden laten neervallen, haar hoofd bij zijn voeten. Ze zullen me wel missen, zei ze. Ze raakte de binnenkant van Donals onderarm aan met haar teen. Hoelang ben ik al weg?

Donal streelde de voet van zijn geliefde en negeerde wat hij het meest van haar vreesde. Terwijl hij het topje van haar linker kleine teen kuste, zei hij: Laten we het begin proberen van het 'Très Vif'-gedeelte van het stuk van Ravel. Hij keek hoe ze het moeilijke stuk aanpakte en doorwerkte; de concentratie straalde van haar gave voorhoofd, en daaronder haar opgetrokken wenkbrauwen, en hij bewonderde haar volharding op dat onbekende terrein.

Misschien moet ik iets van me laten horen, zei ze, terwijl ze haar teen terugtrok.

De rivier is vol met ijs, zei hij.

Ze steunde op haar ellebogen en zei: Ze zijn oud. Oma heeft me nodig.

Ze maken het heus goed, zei Donal. Er is wel erger noodweer geweest voordat jij werd geboren. Ik ben ook oud.

Ze zei: Je krijgt een uitbrander van me omdat je oud doet voordat het je tijd is.

Het is mijn tijd, zei hij.

Doe dan niet oud voordat je wijs bent, was haar antwoord. Waarom probeer je me ervan te weerhouden dat ik ga doen wat ik wil doen?

Kwel me niet zo, zei hij. Jouw muziek heeft me compleet gemaakt.

En ik dan?

Donal had in Nyssa een enorme wildernis van aanraking blootgelegd. Hij liet onvermijdelijke sporen na. Voor het eerst was ze gescheiden van zichzelf, zich bewust van de kwetsbare melancholie van het vlees.

Die avond staarde ze naar het ijzige kant op het raam, met een huiverende angst om te vallen. Ze stampte lichtjes met haar voet om tot zichzelf te komen, hief haar hoopvolle viool en speelde de vertrouwde reels in haar 'Oma's laarsjes'.

Aan de andere kant van de muur zocht Donal naar steeds intrigerender stukken om samen te spelen. Hij liet haar zowel Bottesini's 'Grand Duo Concertante' als 'Passione Amorosa' zien. Ze vond dat Bottesini de baspartij bevoorrechtte. Hij gaf haar Bachs 'Chaconne in D' en improviseerde een begeleiding.

Terwijl ze op haar rug lag en de viool rechtop op haar vingertoppen liet balanceren zei Nyssa: Maar het moet voor jou ook een uitdaging zijn.

Donal deed gewillig wat hem werd gevraagd. Hij zocht naar een stuk dat hun allebei zou aanstaan en trok Händels 'Passacaglia' tevoorschijn. Ja, dacht hij, het getokkel, het romantische tussenspel, het harde, snelle strijken en vlugge vingerwerk, ja, dit zal haar ongelooflijk goed bevallen. Hij liep haar oefenruimte binnen, waar ze op de vloer naar 'L'arte del arc' lag te luisteren. Ze zei: Ik ben bezig. Je was net weg.

Daar kom ik niet voor. Ik heb een stuk voor jou en mij gevonden, en ik heb een jurk voor je om het in uit te voeren.

Ze rolde op haar zij en vroeg: Wat voor kleur is hij?

Een verrassing, als je even op me wacht.

Hoelang blijf je weg?

Alle tijd die ik niet bij jou ben is een eeuwigheid. Hij ligt in mijn kamer. Ik ga nu. Zul je op me wachten?

Thuis was niet meer als thuis. Huizen in Millstone Nether brandden tot de grond toe af in de ijskoude regen omdat mensen het met lantaarns en kaarsen warm probeerden te krijgen. Sommige mensen deden voor het eerst in al die jaren hun deur op slot, bang. Oude mensen frummelden met de rand van hun dekens. Kinderen huilden van de kou en er was geen jongen die een ander uitdaagde om van ijsberg naar ijsberg te springen.

Norea raakte in verwarring door de abnormale kou. Ze kon niet meer onthouden welke dag van de week het was of wat ze at. Soms wist ze niet waar ze was. Ze begon tegen Dagmar te praten alsof ze nog een kind was. Ze praatte tegen haar eigen moeder die was overleden, vergat dat Nyssa was geboren. Ze smeekte haar dochter om een eind te maken aan het ijs, maar Dagmar zei: Niet voordat ik Nyssa heb gevonden.

Norea zat in haar intense duisternis, met een lappendeken om zich heen geslagen. Toen de vriesregen tegen het raam tikte, hoorde ze melkflessen rinkelen en de kreet van haar jonge moeder die stervende was. Ze pootte aardappels tot haar jonge armen pijnlijk werden, rillend van angst trok ze door Ierland en lag als een hoopje ellende in een stinkend scheepsruim. Ze schoof eieren in sleetse grijs kartonnen dozen door kleine deuren van de huizen in het dorp, en verzamelde en begroef dode vogels. Daar lag een baby naast een stier. Ze ging haar eerste huis binnen, hand in hand met Rory, en hoorde drie vrouwen met schapengezichten het oude thuiskomstlied zingen:

Oro, sé do bheatha a bhaile, is fearr liom tu ná
céad bo bainne:
Oro, sé do bheatha a bhaile, thá tu maith le
rátha.

Ze huiverde omdat ze honger had, wat haar afleidde van de heldere stroom van geluid en aanraking. Toen ze wakker werd, was ze teleurgesteld dat ze op haar zolder was, gevangen in de alledaagsheid van pijnlijke heupen en kloppende handen. Alsof ze een stofdoek uitsloeg, zette ze haar herinneringen van zich af en stak met tegenzin haar handen onder de dekens vandaan, de kou in, en tastte naar een droge cracker op het bord naast haar gebit op het tafeltje bij haar bed. Met haar tandeloze kaken brak ze er een stukje af. Ze sabbelde op de cracker tot ze er met haar oude tong een stukje kon afbreken en het met haar kaken kon wegkauwen. Haar waterglas was met ijsbloemen bedekt en ze had trek in hete thee. Ze dacht: Veel te koud om op te staan. Ik stop gewoon mijn hoofd weer onder de dekens en blijf liggen. O, maar ik heb een droge keel. Ze trok haar wollen muts over haar dunne haar en zakte weg in haar slaap, die vrij van beelden was.

Want van alle mensen, hou ik in mijn hart van niemand anders dan jou. Ze hoorde Rory 'De roodbruine deern' zingen. Toen zag ze hem. Hij stond voor haar in de ijskoude kamer met zijn ontwapenende grijns, zijn hand een stukje naar haar opgeheven. Ze wist dat ze half sluimerde en dat hij dood was, maar toch stond hij daar. En zijn stem... Ze waakte ervoor zich niet te bewegen uit angst hem te verliezen. Ze zag dat hij zijn andere arm naar haar uitstak, naar haar toe kwam. Lig stil, waarschuwde Norea zichzelf met gesloten ogen. Verjaag hem niet. Al zijn verdriet over zijn verloren leven werd voelbaar in een wereld die niet langer de zijne was. Hij deed nog een stap naderbij, met tranen in zijn ogen van verlangen naar de jonge vrouw, wier hart bonkte van verlangen naar hem, maar toen moest Norea ademhalen en was hij verdwenen. Ze lag stil en probeerde hem terug te halen, maar hij was weg en de tranen rolden ongehinderd langs haar oude wangen en brandden gaatjes in de koude lakens.

Ze deed haar best om overeind te gaan zitten in bed. Waar was Dagmar? Ze keek naar haar ramen, waar het nieuwe ijs kantachtige patronen vormde. Ze was bang voor de duisternis, uren van huiverende ergernis en eenzaamheid. Waar was Dagmar? Verteerd door verlangen naar haar dochter. Met moeite schoof ze haar oude vogelpootjes van onder het zware dek tevoorschijn om in het donker naar beneden te gaan. Ze moest naar buiten om te lopen. Om te proberen de dingen op orde te krijgen. Had ze dat al niet vele malen gedaan, haar huis verlaten, zich op de melkkar gehesen of gaan wandelen om zorgen te verdrijven?

Donal zette de vergeelde doos bij Nyssa's voeten, de muziek in zijn brede jaszak, zijn gehaaste terugkeer naar zijn rusteloze violiste gelukt – zij was er nog.

Maak eens open, zei hij.

Nyssa tilde het deksel eraf en sloeg het oude kastpapier open. Ze had nooit eerder een jurk in een doos gekregen. Ze tilde de stof op, maar kon niet zien wat onder of boven was. Het lijfje had geen schouders en sloot met een rits aan de zijkant. De jurk had een wijde rok, die diagonaal was geknipt; de taille was ingenomen. Nyssa hield hem voor zich en liet toen de paar ons stof tot op de vloer vallen; ze deed haar vertrouwde spijkerbroek en blouse uit en schoof op haar knieën de jurk in, zoals een kind een tent binnenkruipt. Op haar hurken trok ze het lijfje omhoog tot het haar borsten bedekte en ze draaide zich naar opzij om de rits dicht te trekken. Toen stond ze in één beweging op, gooide met een zwaai haar haar naar achteren en maakte er een wrong van om haar volle, naakte schouders en rug te onthullen; de rok kleefde zijdeachtig tegen haar smalle heupen en gespierde buik. Donal keek naar de gladde huid over haar sleutelbeen en bewonderde de ronde stevigheid van haar bovenarmen.

Draai je eens om, zei Donal.

Wacht even, zei Nyssa. Er zit nog iets in de doos.

Ze pakte er een paar brokaten laarsjes uit, goudkleurig, veenbessenrood en blauw. Ze maakte zestien gouden ronde knoopjes los die aan de zijkant zaten en trok de laarsjes verrukt aan.

Ze passen me als ik die knoopjes vastmaak, zei ze terwijl ze haar voet optilde en de hak stevig neerzette.

Ze pakte het knopenhaakje uit de doos. Langzaam zette ze het bolletje tegen het knoopsgat en liet het erdoorheen glijden tot het knoopje er met een plofje door schoot. Toen ze eindelijk klaar was, ging ze rechtop staan en danste, toen boog ze zich voorover om de laarsjes te bewonderen – gouden ribbeldraad dat wervelende blaadjes om haar enkels en voeten vormde.

Ze draaide in het rond terwijl ze een Schotse dans neuriede, tilde de wijde rok op en danste, ze stak de draak met de jurk en bewonderde haar laarsjes terwijl ze luisterde naar het gestamp van die gewelfde hakken.

Hij keek toe en stelde zich voor hoe haar rugspieren zouden natrillen wanneer ze er eindelijk toe was overgehaald om stil te staan, om die vreemde laarsjes te laten schuilgaan onder de stof, om haar viool ernstig onder haar kin te zetten en te gaan spelen. Hij bewonderde de manier waarop de zijdeachtige zwarte stof een rechte lijn vormde onder de prachtige V die van haar schouders naar haar stevige, bedekte borsten liep en de ronding van haar hals die hij even door haar kroezige haar heen kon zien toen hij haar vroeg een paar haarlokjes los te maken. Hij zag voor zich hoe ze zich iets naar het publiek zou toekeren, haar viool zou optillen en spelen. De ogen van vreemden zouden de naaktheid van haar armen en rug en sleutelbeen zien, de geconcentreerde houding van haar hoofd en haar gave voorhoofd. Vreemden zouden horen wat hij hoorde en kijken naar wat hij bezat, muziek en spieren, pezen en huid.

De Jan-op-de-preekstoel die Nyssa voor Dagmar had geplukt was uitgebloeid en hing bruin en slap op het tafeltje naast het bed. Er kwam bedmijt op het wasachtige oppervlak van het blad en de stengel verschrompelde. Het water was opgedroogd, verdwenen.

Norea schudde haar dochter wakker, die stijf ingepakt in bed lag en zei: Dagmar, ik heb over je vader gedroomd.

Moeder, hij is al zestig jaar dood, zei Dagmar, die moeizaam overeind kwam. Ik heb die man nooit gezien.

Natuurlijk wel. Hij hield van je alsof je zijn huid was. Herinner je je dat kleine grenen wiegje niet meer dat hij voor je had gemaakt?

Dat heeft hij niet gedaan, moeder. Dat hebt u me vanochtend verteld, en gisteren, snauwde Dagmar.

Norea zag het wiegje voor zich. Haar drie jongere broers hadden er allemaal in geslapen. Ze zweeg, stomverbaasd. Maar koppig zei ze: Natuurlijk wel – dat weet je alleen niet meer.

Dagmar zag de blauwe randen om Norea's lippen. Ik ga je naar de school brengen. Het is te koud om je hier te laten.

Dit is mijn huis en daarin doe ik wat ik wil en ik ga hier niet weg! Met stijve handen veegde Norea de stukjes gedroogd blad weg die op het tafeltje naast Dagmars bed lagen. Als het je niet aanstaat, zoek je zelf maar een huis!

Ze sloeg naar de rest van Norea's dode plant, waarop Dagmar snauwde: Blijf ervan af. Ik wil niet dat je zo tegen me praat!

Norea hoorde het vlijmscherpe in haar dochters stem, maar ze kon zich niet herinneren wie Dagmar was. Met het instinct van een dier uit het bos gooide ze eruit: Dat smerige altaar, en ze smeet het vaasje op de grond.

Hou op! Dagmar kwam uit bed en liep de kamer door.

Ze keek om en zag de vreemde oude Ierse vrouw iets mompelen in een vreemde taal en ze ging zitten en snikte het uit.

Norea hoorde het kleine meisje huilen en haar geheugen kwam meteen terug. Ze ging naar haar toe, streelde haar hoofd en bromde zacht: Niet huilen. Het pijnigt mijn ogen om te kijken zonder je te zien. Toen keerde haar verwarde geheugen terug en zei ze: Niemand kan de rivier oversteken wanneer hij vol ijs ligt. Wacht tot de dooi, dan gaan we haar halen. Laat haar gaan, Dag, een meisje moet een keer gaan. Dat heb jij ook gedaan!

Nee! tierde Dagmar terwijl ze haar moeders hand wegduwde. Dat is niet hetzelfde. Ik ben nooit van het eiland weggegaan. Colins huis lag op een steenworp afstand van het jouwe. Ik hoorde hoe aangedaan haar stem klonk in de storm. Een meisje moet een weg terug hebben.

Ze liep de kamer uit en ging naar de keuken, schoot haar jas aan en liep naar buiten. Nyssa was levend verdwenen in de duisternis. Er daalde ijs neer en de lucht scheurde open. Dagmar kon zich niet meer precies herinneren hoe Nyssa's neus, haar lippen en haar wangen eruitzagen. Ze kon haar niet ruiken en de klank van haar stem niet meer horen. Ze kon alleen de pijn voelen en de verlichting toen een baby aan haar borst begon te zuigen.

Ze klaagde: Nyssa, mijn dochter, mijn smart. Nyssa, kind van me. *Air faìl irìnn ì ririnn.* Nyssa, waar ben je? Spreek, dochter, in welke taal dan ook. Met je lange benen, danspasjes en vioolspelende vingers, één opgetrokken wenkbrauw onder al dat krullerige haar, uit op het noodlot. Je kunt niet verdwijnen, vrije schepper van jezelf. De aarde zal door en door bevroren blijven tot ik mijn blik weer op je kan laten rusten.

Donal en Nyssa luisterden samen toen de basso ostinato de melodie van de 'Passacaglia' inzette in een statige driekwartsmaat, lichtvoetig gevolgd door de viool met zijn speelse polyfone variaties. De viool huppelend, de contrabas omhelzend, daa ta daa ta daa ta daa, de viool dansend, de contrabas springend, beide grepen elkaar vast in sierlijkheid, in verrukking, in melancholie en geplaag. Ze gingen uit elkaar en keerden terug, soms sensueel, soms strijdlustig, speels, ernstig, teder, ingehouden en vrijgelaten door de vorm, hun twee verschillende wezens één in de laatste variatie, gouden draden die goddelijk werden in de muziek totdat ze uit elkaar werden gehaald en tot zwijgen gebracht. Dominant ten opzichte van de grondtoon, Händels shantih en amen.

Donal maakte aantekeningen in de partituur terwijl Nyssa op de vloer lag en in gedachten de muziek hoorde. Ze stond op en streek met haar vingers over de noten en nam de muziek met haar ogen in zich op, met haar hele naakte lichaam. Ze pakte haar viool op en speelde gedeelten van de melodie, het geestige tokkelen, de dramatische crescendo's. Samen werkten ze de muziek door, uur na uur, waarbij ze de noten werden, de dans werden, en hun instrumenten samenklonken.

Händel, snoof ze, toen ze klaar waren. Ik wil iets levendigs. Speel die melodie nog eens.

Ze was nu vijfentwintig dagen weg, rekende ze uit aan de hand van de maan. Hij sprak over concerten op het vasteland en over musiceren voor vreemden. Hij wilde dat ze haar Tartini zou spelen, en hij zijn Bottesini. Hij wilde haar kleden. Hij wilde eindigen met hun 'Passacaglia'. Ze nam aanstoot aan de klank van die woorden, die als dierbaar gekwetter van zijn lippen rolden. Wat dacht je van wat reels? had ze gezegd. Hij schudde zijn hoofd. Is dat niet chic genoeg voor je? zei ze smalend. Ik zal je laten horen wat ik voor ze zal spelen. Ze zette haar kleine viool onder haar kin en speelde een lange noot op de G-snaar, gevolgd door drie heldere boventonen, en toen deed ze een klein dansje.

De hele wereld zal zich voor ons verdringen, zei hij toen ze klaar was, maar niet daarvoor.

Ze lachte naar hem en vroeg: Wie maalt erom of de wereld zich voor ons zal verdringen? Als dat gebeurt, stuur ik ze weg.

Wat wil je dan? vroeg hij.

Ze zweeg even en zei toen: Ik wil de muziek schrijven die ik hoor maar nog niet kan spelen.

Hij fronste zijn voorhoofd en zei: En wat is dat dan voor muziek?

Ze aarzelde. Ik heb die muziek een keer gehoord toen

ik uitgleed en in de haven onder een ijsschots terecht-kwam. Ik heb de muziek gehoord toen ik op de heuvel was met Moll. Ik hoorde hem onder de dennennaalden op de rotsen.

Moll! zei hij smalend. Wat weet zij nou van muziek? Jij kunt Tartini spelen. Dat kunnen maar heel weinig mensen.

Hij zag dat Nyssa's ogen uitdrukkingsloos werden en hield zijn mond. Toen zei hij: Daar moeten we later nog maar eens over praten. Kom, laten we aan onze ademhaling werken.

Ze liet zich weer vermurwen en ging in kleermakerszit tegenover hem zitten, knieën losjes naar de grond, haar handpalmen rustten open op haar knieën. De strammere Donal zat met stijve heupen en zijn kin iets omhoog en hij liet haar ingewikkelde ademhalingsoefeningen zien die hij had ontwikkeld en die pasten bij de frasering van de muziek. Nyssa oefende het kort inademen om nieuwe frasen te markeren.

Je moet je niet met je ademhaling bemoeien, zei Donal, maar je moet wel weten waar hij begint en eindigt.

Ze ademde uit. Ze zag haar moeders zeldzame vlas, dat tot aan de lucht een oceaan van blauwe bloemetjes ten-toonspreidde.

Donal zag dat haar neusvleugels zich ontspanden en zei: Goed zo. De adem bepaalt het tempo, brengt het geluid voort.

Geïrriteerd door zijn storende geklets hield ze er in-eens mee op en strekte haar voeten voor zich uit. Ik ben dit spuugzat! zei ze. Ik adem zoals ik zelf wil!

Ze sprong overeind, zette haar viool onder haar kin en speelde met ingehouden adem een moeilijke passage. Toen ze klaar was, liet ze haar viool zakken en zei, diep inademend: Zo!

Donal zei: Maar het klonk niet goed. Intonatie is het belangrijkste element van volume en projectie. Die wordt beter door je ademhaling.

Laat me met rust! zei ze.

Donal streelde de prachtige spieren van haar strijkarm en de soepele spieren van haar dijen. Hij kuste haar nek, fluisterde verontschuldigingen en beloofde haar nooit meer te corrigeren. Hij verlangde net zo naar de smaak van haar zoute tranen als naar haar andere zoutige smaakjes. Ze vroeg zich af waar de vlakke leegte vanbinnen vandaan was gekomen. Ze had hem betreden zoals een zwemmer de dood betreedt.

Ze ging naar haar eigen kamer, haar lichaam nog opgewonden en ellendig. Ze wiebelde op haar hakken heen en weer en staarde uit het raam. Ze keek naar het licht van de sterren, dat op de bomen viel. Wie weet ben ik wel dood, dacht ze. Zou mijn moeder aan me denken? Ik verlies me helemaal in hem. Toen ze de aardeachtige geuren van hun gevrij tussen haar benen rook, dacht ze: Is dit liefde? Ze had hem nog niet afgesponsd met tintelend koud ijswater of hij kwam haar alweer zoeken en dan verstrengelden ze zich weer met elkaar. Mijn lichaam, dacht ze minachtend, is een graf dat alles accepteert. Hij bespeelt het telkens weer. Ik minacht het, maar wanneer ik heel even ben weggeweest, verlang ik weer naar hem. Hij verstikt me. En bevrijdt me. Ze staarde in het donker.

Alle dingen in de natuur hebben een verborgen lied, dingen die dromen tot een ademtocht ze een stem geeft. De melodie in het holle riet, de echo in de grot. Adem in. Adem uit. Bij elke ademtocht, nieuw leven.

Hoe laat is het? vroeg Nyssa geeuwend.

Ik ben je klok en je jaargetij, zei Donal plagend terwijl hij het dienblad op het bed zette.

Als jij mijn klok en jaargetij bent, dan ben ik pas één maand oud en is het jaargetij lente. Maar kijk eens uit het raam, er ligt overal hardvochtig ijs.

Des te beter is het om je hier in mijn armen te houden.

Ze zei: En waarom zou je me met ijs bij je houden terwijl je me zou kunnen loslaten zodat ik uit liefde naar je kan terugvliegen?

Nyssa deed een scheut whiskey in haar thee en dronk het op. Ze pakte haar schrijfblok met notenbalken en schreef er speels in, toen gaf ze het met de pen aan Donal, die in zijn koffie blies.

Geachte meneer Donal Dobb,
Ik ben op zoek naar een toekomst. Maar ik ben
alleen geïnteresseerd in geluiden die volgens u
geen muziek zijn. Als ik met u een toekomst
kan vinden, ontmoet me dan over vijf minuten
aan de zuidkant van het bed. Ik moet dan natuurlijk wel weten hoe laat het is!

Hoogachtend,

Nyssa Nolan

r.s.v.p. (hier!)

Gewillig nam Donal het schrijfblok van haar aan. Hij
pakte de pen en schreef terug:

Juffrouw Nyssa,
Door welk wonder kunt u zich aangetrokken voe-
len tot de grijze, oude mij? Antwoord: Oui. Er is
geen melodie in jouw monochordium. Wat zie je
toch in dat vreselijke eentonige en dat geplonk?

Je Donal

PS Je draagt alle liedjes onder je tong.

Hij gaf haar het schrijfblok en de pen, gleed naar het
voeteneind van het bed, en Nyssa stond op en bewoog
zich met schuifelende danspasjes over de dekens en de
lakens naar hem toe, haar haren nog woest van de nacht,
en ze schreef met grote halen die de hele bladzijde vul-
den:

Lieve Donal,

Je hebt me niet verteld hoe laat het is. Ik ben aangekomen bij afnemende maan. De lucht is weer donker. Mogen de engelen je beschermen. Heb je in gedachten nooit meegeneuried met het ploinken van de aarde? Waarom vind je het vreselijk?

Fiedelend,

Nyssa

Ze gooide het schrijfblok naast hem neer. Hij probeerde haar enkels te pakken, maar ze schudde haar hoofd en wees met een strenge vinger tegen haar gesloten lippen gedrukt op de pen. Met tegenzin pakte hij het schrijfblok op, las wat er stond en schreef weer:

Lieve N,

Harmonie in de balans en orde van generaties. Kan daar een eind aan komen door mensen zoals wij?

Je engelachtige Donal

Nyssa hurkte naast hem neer en bekeek het ondersteboven; toen hij zijn naam eronder had gezet, pakte ze de pen uit zijn hand. Toen nam ze het schrijfblok helemaal mee naar de kussens aan het hoofdeinde van het bed, draaide het schrijfblok om en las wat hij had geschreven. Ze schreef terug:

Lieve Engelachtige (Goede? Slechte?) Donal,
Zelfs een engel draagt de last van vleugels. Het
ontbreekt je aan moed. Ik heb er genoeg van
om nooit alleen te zijn. Ik ga gebukt onder een
duf contrapunt. En ik heb er genoeg van dat je
altijd gelijk wilt hebben. En veilig wilt zijn.

N.

Plechtig reikte ze hem het schrijfblok aan en hij keek op
alsof hij iets wilde zeggen. Weer legde ze haar vinger tegen
haar lippen en wees dat hij moest schrijven. Donal kende
de vruchten die strikte gehoorzaamheid aan de regels van
haar spel zou opleveren en zwijgend schreef hij:

Lieve Nyssa,
Ik zal tot in eeuwigheid van je houden. Ik kan niet
verklaren waarom je alles wat ik je geef even prach-
tig speelt. Ik kan niet verklaren waarom je zowel
mij als eenzaamheid wilt. Ik heb geen verklaring
voor je rusteloosheid of je talent of je smaak.

Lieve Donal,
Maar jij kunt verhinderen dat ik bereik wat ik
wil.

Lieve Nyssa,
Laten we onze 'Passacaglia' uitvoeren. De wereld
zal luisteren. Op den duur zul je je anders gaan
voelen.

Lieve Donal,

Jij praat over optreden wanneer ik praat over alleen willen zijn. Jij hebt het over contrapunt wanneer ik denk aan gebeente op metaal. Is dit wat er van liefde terechtkomt?

Wat was haar lichaam gespierd geworden. Wat was ze zelfs in haar eigen ogen vreemd geworden. Nyssa deed haar deur dicht en legde onbeschreven vellen muziekpapier op de grond en probeerde te schrijven. Noot na noot na noot. Ze kroop, ze hurkte, zat in kleermakerszit, boog zich over het papier, met verkrampte rug terwijl haar handen het papier van de ene naar de andere kant schoven. Slechts één regel muziek op elk vel papier. Ze speelde wat er stond en gooide het onvoldaan aan de kant, kreeg het benauwd door de vijf lijnen en de vier tussenruimten van de notenbalk, opgesloten tussen de maatstrepen, door de g-sleutels, omlaaggehaald tot onder het niveau van wat ze eerder had geschreven. Ze schreef uit haar herinnering. Ze noteerde een lange partituur voor een geprepareerde piano en verfrommelde die tot een prop. Ze neuriede haar melodieën uit Millstone Nether. Ze werkte vanuit de verheven techniek van keuze, waarbij ze zich bewust beperkte, bewust alles elimineerde wat niet van haarzelf was.

Verbaasd zoekend schreef ze de woordeloze liedjes op die ze haar grootmoeder in de cairn had horen zingen. Ze luisterde naar de melodie die zich in een klein bereik bewoog, reeksen van kleine motieven die zich als ijskristallen aan elkaar hechtten en tot schitterende vormen uitgroeiden. Oeroud en respectabel, melismatisch of alledaags. Maar zelfs dat was niet wat ze wilde.

De muren konden niet omvatten wat ze te zeggen had en haar oude viool evenmin. Er was iets wat aan haar vrat en haar weerhield van de weer opgerichte vlam van de haard van thuis. Ze werd ertoe gedreven om op te schrijven wat haar vanbinnen zo kwelde. Haar baarmoeder deed pijn. Er trok een kloppende pijn door haar heen, en ze drukte haar huid tegen het koude glas van het raam.

Ze pakte zich goed in en liep buiten over de rand van de rotsige kliffen die uitzicht boden over zee. Ze hurkte neer op de bevroren grond en hakte er een kleine holling in uit. Ze luisterde naar de wind en het ijs en hoorde in zichzelf alle geluiden van Millstone Nether. Ze verbood Donal die avond naar haar kamer te komen terwijl ze telkens weer alle harmonieën speelde die haar kleine viool kon vinden. Ze speelde ze in ritmes als de klank van ijs onder water. Geluid zonder melodie of traditie, ijl wachtend op dichtheid. In die noten wilde ze uitgebreid patronen, structuur, energie, verrassing, vreugde aanbrengen. In die noten wilde ze toonhoogten zoeken die geen mens nog had gehoord, die als babyspinnetjes wachtten tot ze geboren werden. Dat wilde ze. Meer dan thuis. Meer dan liefde. Ze had genoeg van Donals kleine kamertjes, zijn vermoeide muziek, zijn plan om op te treden. Ze wilde haar ritmes die opklonken vanuit het donker en vanaf de bodem van de zee. Ze moest teruggaan.

In de andere kamer hoorde ze Donal zijn vingers op en neer bewegen langs zijn lange snaren, de toonhoogte van zijn natuurlijke harmonieën aanpassend op een manier zoals zij op haar viool niet kon. Uit zijn manier van oefenen sprak door de muur: Ik kan alles.

Donal klopte op de deur en stak een pleidooi af: Je kunt niet weigeren met me te spelen. Afzonderlijk bestaan we niet meer. Zonder mij geen contrabas. Zonder jou geen hoge vlucht.

Ze zei: Dat zegt me helemaal niets.

Ongeduldig liet hij zijn handen zakken en zei: Er is een tijd geweest op Millstone Nether, voor de lente met de vaten vol instrumenten, dat de mensen zo arm waren dat ze geen violen hadden. Ik heb verhalen gehoord over de eerste keukenfeestjes waarbij een oude man een stuk hardboard en wat draad pakte, het sap zo uit de boom haalde voor hars en erop speelde. Kijk eens naar je viool. En jij wilt er niet op spelen?

Ze stak de draak met hem door te zeggen: Wat een vreselijk treurig verhaal. Maar heel weinig mensen zouden het geloven.

Toen lachte hij en hij streek de openingsmaten van 'Narcissus', en ze kon niet verhinderen dat haar lichaam geprikkeld werd en ze liet toe dat hij haar nog een laatste keer tegen zich aan trok. Maar zodra hij de liefde met haar bedreef, *con expressione di patimento*, kon ze haar aandacht er niet bij houden en haar gedachten speelden met een verhaal dat haar oma haar placht te vertellen, over het ontstaan van de wereld.

Een zus en een broer leefden in het donker, totdat er op een nacht een vreemde naast het meisje ging liggen en de liefde met haar bedreef. De zus viel in slaap, en toen ze wakker werd was de vreemdeling verdwenen. De volgende nacht kwam hij weer en opnieuw nam hij bezit van haar, en toen ze wakker werd was hij weer verdwenen. Ten slotte maakte ze haar handen zwart met verbrande takken uit het vuur, en toen hij in het donker kwam, omvatte ze zijn gezicht met haar handpalmen. 's Ochtends stond ze verlangend op en hoopte iets te zien. Maar naast het vuur hurkte haar broer, met lange vingerafdrukken op zijn gezicht. Ze schreeuwde tegen hem: Jij was degene die me in het donker heeft genomen. Ze rukte haar borsten af en smeet ze naar zijn hoofd, vervolgens pakte ze een grote brandende stok uit het vuur en rende weg. Hij pakte een kleinere stok en rende achter haar aan. Ze renden zo hard dat ze opstegen naar de hemel en vlam vatten. Zij werd de zon en hij de maan die de wereld najoeg die nu werd verlicht door het verdriet in de duisternis.

Donal tilde haar heupen op naar zijn hoogte, met gesloten ogen en geopende lippen, hevig hijgend. Ze keek naar zijn gezicht en wachtte, terwijl ze in gedachten het verhaal doornam. Donal streelde haar prachtige midden-

peeslijn en ze wendde haar blik af, verkild door de voorspellende woorden van haar oma: Als je je geest vergeet,
sterft hij.

DEEL VIER

Gewoonten die je niet in
twijfel mag trekken

W anneer er een cyclus eindigt, ontstaat er een leegte. De oude genoegens verliezen hun glans. De
oude verlangens drogen op. De cyclus eindigt soms met
een sterfgeval, een verlies. Maar soms komt er gewoon een
eind aan. Er is een roep om ergens anders te zijn. Dat is de
meest waarachtige verklaring voor het einde van één ding
en de hang naar iets anders. Eén ding is gedaan, iets
anders is klaar om te beginnen.

Hij kon haar niet tegenhouden. Nyssa was in de zee
gesprongen die kleinere stroompjes tot zwijgen brengt.
Ze was kregelig en ongedurig, haar muziek een oefening
voor de dood. Ze wilde alleen het sluimerende experi-
ment verkennen. Ze liep van muur tot muur in haar
kamertje. De uren strekten zich eindeloos om haar uit.
Alle geluid getemperd door deze houten wanden, inge-
kapseld door versleten noten, voelde ze zich gedwars-
boomd en begon opnieuw aan het ontmantelen. Hij
zei dat ze heel de hemel en aarde kon laten zingen
wanneer ze speelde. Maar ze wilde nog een ander domein. Ze wilde onthullen wat daaronder verborgen ging.
Nyssa Nolan had de sprong volledig gevormd gewaagd.
Ze was niet het type om weg te kwijnen.

Donal nam zijn contrabas mee naar haar kamer en zei:
Laten we spelen.

Nee.

Donal sloeg met zijn hand tegen de muur. Waar was hun prachtige liefde gebleven? Was stilte alles wat er was? Hun liefde gedoofd?

Speel met me, zei hij.

Nyssa zei: Het gezicht is van jou. De geest is gevlogen.

Waar heb je het over? Luister naar rede. Haar leven-lievendste deel wilde niet meer naast hem liggen of met hem spelen.

Ze keek naar hem en zag een vreemde die niet naar haar wilde luisteren. Voorzichtig legde ze haar geliefde viool op de grond en hief haar brokaten voet erboven en stampte er hard op. Het tere oude hout verbrijzelde in nutteloze splinters, het staartstuk sprong eraf en de snaren sprongen los in een wirwar. Een van de schroeven vloog eraf en belandde ver van het verbrijzelde hout als een afgehakte vinger. Gebutste vernis en stille schapen-darm lagen er vermoord tussen.

Zijn ogen keken haar onderzoekend aan en hij zei sotto voce: Laten we hiermee ophouden. Ik zal een ande-re viool voor je kopen. Als je van mij houdt, zal ik altijd van je houden. Het maakt niet uit wat je doet.

In een fractie van een seconde sloot haar hart zich voor hem.

Ze zei: In liefde is er geen sprake van áls.

Ze liep langs hem en haar ontzielde viool naar de deur.

Nyssa klom omlaag naar de kust en maakte de sloep los. De glans van ijs dat opdoemde op open water. Drijfijs dat kletterde als kettingen, in duizenden kleine stukjes langs de kust. Een stuk verder in de zeestraat waren dodelijke ijsschotsen. Ze dacht: Hij sluit de deur en mijn hart glipt weg door het raam. Hij sluit het raam en het glipt weg door de schoorsteen. Mijn plaats en mijn evenwicht bevinden zich niet in die kamers, maar daarbuiten.

Om een boom aan de kust zag ze een flard van haar eigen gezicht, het papier gescheurd en verwaaid. Op de kin stond in haar moeders handschrift het woord *Vermist*. Haar gezicht in tweeën gescheurd, een deel van de viool onder haar kin geklemd, de rest weggewaaid. De storm wakkerde in het noorden weer aan. Ze wilde naar de overkant. Ze schoof op het middelste bankje en maakte het ijs kapot dat op de dollen zat. Ze tilde de zware riemen op. Het oude hout was glad gesleten door handen die eraan hadden getrokken en was bedekt met een laag ijs. Met een zwaai stootte ze de twee lange bladen tegen de brokken ijs in het water. De riemen klonken als stro waarop met een vlegel wordt geslagen toen ze zich moeizaam door het ijs bewogen. Ze roeide met haar gezicht in de richting waaruit ze was gekomen. De punt van de boot wees blindelings richting Millstone Nether. Ze was bang voor de grote golven en voor het drijfijs, de in stukken gebroken schotsen die van noord naar zuid dreven. Ze probeerde de sterren te zien om op koers te blijven. Nachtelijke wolken overdekten de hemel en de oceaanwind bracht haar sloep uit koers. Ze trok en trok aan de riemen totdat haar gescheurde gezicht op de kust nog maar een stipje was. Ze roeide een hele tijd en probeerde de wind vanuit dezelfde hoek in haar gezicht te houden. Halverwege, met sterren die onzichtbaar waren en wind die de boeg wegdraaide, riep ze om hulp, bang voor de angstaanjagende ijsschotsen, maar het geluid bereikte geen enkel oor. Ze roeide nu alleen nog om te voorkomen dat haar bootje zou omslaan. Ik ben vrijwel kansloos, dacht ze. Minuten uren en uren minuten, de tijd die het kost om de stervenden bij te staan, omgeven door ijsregen, bleef ze roeien, maar alleen omdat er niets anders te doen was.

Na een hele tijd voelde ze een opening tussen de ijsschotsen en de zuigkracht van een stroming, alsof er een schip voor haar voer. Ze ging in dat kielzog varen. Door de onzichtbare vaargeulen en kanalen moest ze vertrouwen op die zuiging. Ze kon een sloep zien, met daarin een magere gestalte met lange armen en benen, als een pop uit een schimmenspel, die door middel van dunne stokjes achter een scherm wordt bewogen. Zo werd ze voortgetrokken door de duisternis. Ze voelde dik kustijs, en toen keek ze over haar schouder en zag ze de kliffen van Millstone Nether. In de baai van die grote, half bevroren rivier hoorde ze door de bevroren stilte van een eiland heen boomtakken kraken.

Ze keek om zich heen waar de boot was die ze had gevolgd, maar zag niets dan ijs en duisternis. Aarzelend dreef ze voor de kust rond, niet in staat haar sloep naar de wal te brengen omdat hij gevangenzat tussen twee ijsbergen. Ze haalde haar riemen binnen en boog zich er met pijnlijke schouders overheen en liet haar voorhoofd op het bevroren hout rusten. Ze deed haar zware oliejas uit. Ze wilde gaan liggen om te slapen, maar probeerde wakker te blijven. Bij deze kou kun je niet gaan slapen, dacht ze, tenzij je wilt slapen tot de dood erop volgt. Haar sterke geest begreep dat en hield zich eraan vast, hoe versuft ze ook was in de ijskoude duisternis.

Slechts één paalwoning in het dorp leed niet zo erg onder het noodweer. Madeleine en Everett waren gewend aan kou, duisternis en een karig rantsoen. Ze verdroegen al die dingen omdat ze een veilige voorraad verf en tabak hadden. Madeleines klompvoeten waren nutteloos op het ijs, zodat Everett de zorg voor de koeien overnam bij zulk slecht weer. Daardoor kon ze binnenshuis blijven. De eerste dagen schilderde ze wat ze vanuit haar raam kon zien: de door ijs onbereikbare haven, een tak gehuld in een mouw van ijs, Everett die een paarse koe molk. Ze schilderde het interieur van hun kamers zoals zij het zag: een lege stoel naast een raam, een kat die opgekruld lag te slapen op een beddensprei van vrolijk gekleurde lapjes stof, een ketel die boven een heet fornuis hing. In de glanzende reflectie van de ketel schilderde ze haar kin die tegen haar nek was gedrukt en haar gevliesde ellebogen. Ze glimlachte. Ze nam een nieuw vel papier en schilderde het enige zelfportret dat ze ooit zou maken.

In het midden gaf ze de contouren aan van een deur zoals alle andere op Millstone Nether, maar in felle tinten rood en blauw en zonder deurknop. Buiten tekende ze zichzelf, half afgewend, haar gekromde hand opgeheven, niet in staat de deur open te doen, maar klaar om naar binnen te gaan. De deur moest vanaf de andere kant worden geopend.

Madeleine legde haar penseel neer en blies op haar koude handen. De rest van de ochtend was ze bezig met het mengen van de felste tinten goud en geel die ze kon maken, en toen schilderde ze Moll aan de andere kant van de deur.

Nyssa bezweek en zakte als een hoopje in elkaar op de bodem van haar sloep, met hagelstenen in haar haar, wenkbrauwen dik van het ijs, en een huid die grotesk begon op te zwellen onder de geselende wind. Langzaam ademend en met een haperend hart bevond ze zich in het domein van wat sommigen als de dood beschouwen. Maar ze hoorde haar naam roepen door degene die het zoeken niet opgeeft. Ze hoorde het in een verre kern van een donkere uithoek van haar geest, en ze zweefde nog steeds tussen de dood en datgene wat gewoonlijk bewustzijn wordt genoemd.

Ze dacht dat ze in een droom verkeerde. Ze dacht dat

ze in bed lag en voelde geen kou, geen pijn. Ze draaide zich op haar zij, deed haar ogen open en zag tot haar verwarring de spanten van de boot. Maar het bootje schommelde en deinde niet, het bewoog zich niet als een bootje en rook niet als een bootje. Ze lag te staren, maar zag niets met haar rechteroog en met haar linkeroog alleen het geraamte van het bootje. Met moeite wist ze zich op te trekken tot ze op haar ellebogen steunde, gefixeerd op één enkel idee: iets doen.

Ze zag haar bevroren jas in de boeg liggen. Ze wilde hem naar zich toe trekken, en toe hij niet meegaf, hees ze zich overeind, klemde zich vast aan het dolboord en liet zich over de rand van de boot vallen in de hoop dat het ijs zou houden, en dat deed het. Op handen en knieën kroop ze naar de kust. Winterwind, noordwest, dacht ze moeizaam en ze draaide haar wang ernaartoe om niet te verdwalen, met vingers die gevoelloos waren, voeten die gevoelloos waren.

In de kamers een en al stilte. Donal kon niet spelen. Hij keek uit over de baai en vroeg zich af waarom ze er op zo'n manier vandoor was gegaan en wanneer ze zou terugkomen. Er waren geen lichten langs de kust. Hij dacht: Ik moet een concertzaal boeken, foto's van ons laten maken, programma's laten drukken. We moeten een datum vaststellen. Wanneer het noodweer voorbij is. Ik geloof dat het aan het afnemen is.

De volgende ochtend liep hij wegglibberend langs de kust en zag dat de sloep weg was. Hij boog zijn hoofd vanwege de hagel. Er vormden zich balletjes ijs in zijn dikke wenkbrauwen. Er vielen druppels langs de haartjes in zijn neus, die bevroren en vastkoekten aan zijn kin en haar. Hij zette de kraag van zijn jas op en probeerde zijn gezicht af te wenden van de beukende wind, maar welke kant hij ook op draaide, hij kon de wind niet ontwijken. Tintelende ijskristallen prikten als kleine pikhouwelen in zijn wangen. Een storm aanvaardt geen offers. In gedachten probeerde hij het repertoire door te nemen. Over het pad achter het huis liep hij terug om nog wat brandhout mee te nemen. Hij viel, waarbij hij hard op zijn pols terechtkwam, en zonder één enkel stukje brandhout draaide hij zich om en liep moeizaam naar het huis. Hij dacht: Als ik wacht, komt ze wel bij me terug. Ik moet hier de zaak op orde houden. Ik verbrijzel geen violen en loop niet weg tijdens noodweer. Ik kan niet zomaar alles opgeven. Ze komt wel terug – we komen altijd terug. We zullen spelen.

Toen de jongetjes die de kust afstroopten na de hagelstormen hem vonden, leefde hij nog, maar ze konden geen beweging krijgen in de boom die was afgebroken onder het gewicht van zijn beijsde takken en zijn rechterbeen had verbrijzeld. Ze legden hun oor tegen zijn lippen en voelden zijn adem. Sommigen noemden dit voorbestemming, anderen het noodlot. Twee dagen en twee nachten lag Donal bekneld onder die boom en dacht na over bepaalde dingen. Hij wist dat de ene daad tot de andere leidt en dat hij alleen kon handelen naar wat er eerder was gebeurd. Naar het oordeel van anderen had hij vele keuzemogelijkheden, maar niet in zijn ogen. Hij kon alleen kiezen zoals hij deed, het web steeds dichter om zich heen. Vanaf de allereerste keer dat hij haar had horen spelen, was er geen keus meer geweest. En toen wilde ze niet meer met hem spelen. En ze verliet hem. Maar alles wat hij voorstelde was nu verbonden met haar en hun samenspel. Hij was ervan overtuigd dat zij hem tot zichzelf had gebracht en dat hij verantwoording schuldig was aan zijn muziek. Het verschil was dat zijn muziek nu hun muziek was, en toch kon hij zich er niet toe brengen om haar te gaan zoeken. En om die reden zou hij kunnen leven of kunnen sterven, maar als hij bleef leven, dan alleen door zijn rechterbeen bekneld achter te laten onder een boom die zomaar was omgevallen tijdens een ijsregen.

Toen Nyssa door haar met ijs bezette haar keek, hoorde ze de vertrouwde stem.

Meisje, word wakker! Tijd voor een lijkzang.

Wat is er? vroeg Nyssa, terwijl ze haar hoofd probeerde op te tillen.

De broodmagere vrouw torende boven haar uit. Nyssa had moeizaam haar weg gevonden naar het met rulle aarde beklede hol. Vorst knaagde aan haar wangen. Met haar ene goede oog zag Nyssa Molls benen door het ijskoude halfduister. Moll zat daar met vieze sokken om haar handen; haar duimen staken door gaten die ooit door tenen waren ontstaan. In die kou rook je niets.

Moll trok aan Nyssa's ijskoude voeten en zei: Mijn voeten zijn steenkoud. Geef me je laarsjes.

Nyssa probeerde haar vingers te bewegen, maar Moll trok met een ruk haar brokaten kaarsjes uit.

Wat? zei Nyssa kreunend.

Stil, zei Moll. In een vrouw huist een wonder! Ze sloeg op haar dij.

Nyssa ging verliggen en probeerde haar andere schouder van het ijs te krijgen. Zocht naar beschutting voor haar blote voeten. Ze wist niet of ze in Molls uitdrukkingsloze zwarte oog keek of naar de sterreloze stormlucht. De dingen hadden geen diepte en met haar rechteroog kon ze niets zien.

Alles speelt zich af tussen de benen van een vrouw, zei Moll. Mijn baby kwam eruit, het neusje platgedrukt tegen het vlies, en kon niet ademen. Mijn kleine babymuis, en ik draaide het kindje om en telde de kleine armpjes en beentjes, een twee drie vier. Ik heb het kind in zee laten vallen en ben teruggegaan naar de lemen hut en staarde er naar een afbeelding van Venus met afgebroken armen.

Toen slaakte Moll een kreet, trok haar armen uit de mouwen en draaide de lege mouwen rond als een molentje. Ze zei: Zwakke huid is mijn thuis. Jouw moeder heeft deze storm veroorzaakt en ze weet niet van ophouden.

Ze zoog haar wangen in, tuitte haar lippen als een vis, en keek naar Nyssa, met haar bevroren neus. Ze zei: er zitten geen bessen meer aan de kornoelje. Niemand brengt me een kraamcake. Het hele universum bevindt zich tussen de benen van een vrouw. Zo zeker als een huis.

Ze keek naar Nyssa's voeten, bloot zonder haar laarsjes. Ze trok Nyssa's trui en broek en sokken uit en zette haar muts af. Ze hurkte neer bij het meisje, dat op haar zij lag, met haar hoofd tegen haar knieën. Het oordeel dat ze velde was negatief.

Nyssa hoorde Moll en bewoog zich niet. Ze kon niet bedenken waarom ze op weg was gegaan en hier terecht was gekomen. Ze was er alleen van overtuigd dat ze zou kunnen sterven als ze niet in beweging kwam, maar telkens wanneer ze probeerde op te staan viel ze terug. Om je daarheen te wagen waar geen herinnering of geweten is, of een van de andere dingen waarmee mensen orde proberen aan te brengen in wat geen orde heeft, is je op weg te begeven naar de plek waar het leven door het ontbreken van rede of compassie voorgoed wordt veranderd. Nyssa had het zo ijskoud dat ze niet meer wist of ze aan het sterven of dromen was of als een geveld konijn al dood aan een vleeshaak hing. Ze was beroofd van wat ze was geweest en wist nog niet of ze iets anders zou worden.

Taal heeft als kenmerk te zoeken naar betekenis in de alleronduidelijkste lettergrepen. In het gebrabbel van het allerjongste kind. Met elke ijskoude dag werd Norea's praten steeds verwarder. Ze sliep weinig. Beneden liep Dagmar te ijsberen. Woede is dodelijk voor slaap. Dagmar probeerde geen aandacht te besteden aan het gepraat van haar moeder. Toch ontsnapten er onaangename scherven van waarheid die de lucht tussen hen doorkliefden. Die laatste avond stookte Dagmar het vuur in Norea's kamer op tegen de barre lucht en stopte haar moeder in onder vele lappendekens. Vrijwel zonder nog te kunnen bewegen onder deze gewatteerde dekens luisterde Norea naar het eentonige getinkel van ijs tegen het raam.

Je zet veel te sterke thee, zei Norea, terwijl ze stijfjes haar vogelpootjes rechtte. Dit dek is te zwaar. En vies. Hebben we al voorjaarsschoonmaak gehouden? Ze keek naar haar dochter, maar wist niet precies wie ze was.

Buiten, in een nacht die vergeven was van lawaai, kletterde het ijs tegen de ruiten.

Norea zei: Doe het raam eens dicht. Hoor je dat geloei niet?

Ik hoor niets.

Wanneer het ophoudt, weet je dat je het je leven lang al hebt gehoord.

Dagmar deed de tochtkieren van de ramen dicht.

Niet helemaal! zei Norea. De kou doet pijn aan mijn ogen. Mijn heupen zijn er vreselijk aan toe vandaag. Ze nam een slokje van haar thee en zei: Te sterk. Ze schudde haar hoofd. Even herkende ze Dagmar en voelde zich gerustgesteld. Tevreden zei ze: Weet je nog dat je vader met ons naar zee liep om naar de zeehonden te kijken?

Ik heb mijn vader nooit ontmoet, zei Dagmar.

Natuurlijk wel, zei Norea geagiteerd.

Dagmar beet op de binnenkant van haar wang om haar tong in bedwang te houden. Haar moeder was in de war. Haar vader. De zeehonden. Het erf voordat ze geboren was. Een meisje dat Pippin heette. Ik ga nog wat brandhout halen, zei ze.

Ga niet bij me weg, riep Norea. Toen herinnerde ze zich iets en zei: Ik heb over Nyssa gedroomd.

Dagmar draaide zich om. Wat heb je gedroomd, moeder?

Ze antwoordde: Ze knielde op het ijs, op een zeehondenschots onder de jachtwal hoog op het eiland. Ze kwam van zo ver als de pijlstormvogels. Ze sleepte zich voort over brokkelige rotsen. Ze stond op en slofte verder. Danste weer, hier op het eiland.

Dat was nog eens een droom, zei Dagmar. Rust maar een beetje, moeder. Ik ga iets te eten voor je maken.

Met haar ijle stem zei Norea: Breng je vader ook een hapje. Ik zie je wel als ik terug ben van de sloep. Je thee is te sterk. Zet hem wat slapper.

Toen zakte ze weg in verademende slaap. Ze droomde

woorden die ze nog nooit had gehoord. *Bamblys, piluinas, colinovis, kamovis.* Ze zag zee-stille zeehonden, die zonder te knipperen vanuit het zilte nat keken naar een arm schepsel op blote voeten. Met grillige onvoorspelbaarheid onthulde haar geheugen dingen en verhulde ze weer. Norea rilde alsof ze op open zee was, zonder kust en zonder jaargetijde, zich bewust van de voortdurende kwelling van één enkele vraag: wie ben ik? Soms wist ze waar ze vandaan kwam en soms wist ze het niet. Soms herkende ze Dagmars tred als ze haar kamer binnenkwam, maar soms herkende ze die niet. Ze wist maar zelden of het dag of nacht was, toch leefde de gewoonte van vurigheid nog in haar.

Die nacht trokken haar voeten haar uit bed en ze schuifelden met haar over de vloer. In haar la zocht ze op de tast naar een oude, geladderde zijden kous en nam die mee naar haar werktafel. Ze streek met haar vingers over de kous en raakte de dingen aan die Nyssa juttend langs de kust had gevonden, kiezels en schelpen, gedroogd zeewier en botjes uit de zee. Ze scheurde de voet van de kous open en knoopte het andere uiteinde dicht. Ze stopte er het drijfhout en het zeewier in. Met haar stijve vingers stopte ze alle dingen die op tafel lagen in haar kous. Met haar tanden bond ze het teenstuk af en legde de kous voor de haard. Ze tastte naar de zware ijzeren tang, pakte hem op, zwaaide ermee boven haar hoofd en liet hem hard neerkomen. Met een boog vloog de kous door de lucht. De inhoud van gedroogd hout en zeewier schoot eruit als bloed en vatte vlam op de lompenmat die op de vloer lag. Schelpen en botjes en kiezeltjes kletterden over de grond. Woorden drongen zich door Norea's mond naar buiten. Ik raak de koningin niet aan en de koningin raakt mij niet aan.

Toen strompelde de oude vrouw door de koude kamer terug naar bed, trok de zware dekens over zich heen en kreunde oude geluiden tegen haar pijnlijke gewrichten en sliep verder totdat de rook in haar keel brandde. Wie was dat nu in haar kamer die met een oud kleedje op de vloer sloeg? Ze had dorst en de rook prikte in haar ogen. Ze wilde haar zware ledematen optillen, maar dat lukte haar niet.

Dagmar had het vuur gedoofd en keek neer op de rusteloze schim in het bed. Haar moeder zou het huis nog laten afbranden. Ze doorzocht de kamer op smeulende asresten en zette het raam open om de rook te verdrijven. Het gezicht van de oude vrouw was bleek tegen het kussen, wangen ingevallen over tandeloze kaken, het haar zo fijn als van een baby. Langs de zijkant van het bed stopte Dagmar haar moeders dekens in. Ze stond over het bed gebogen, zag de ogen bewegen onder doorschijnende geaderde oogleden en hoorde haar droge lippen Dagmar mompelen.

Dagmar streelde haar haar en haar voorhoofd en streek de diepe rimpels tussen haar wenkbrauwen glad. Ze sprenkelde wat water op een vinger en liet een druppel op haar moeders uitgedroogde lippen vallen. De oude lippen gingen vaneen, de tong kwam naar buiten en stak naar voren als die van een pasgeborene die probeert te zuigen. Druppel voor druppel hielp Dagmar Norea drinken, tot de zoekende tong ophield met de trage beweging en de slapende vrouw haar mond stil en roerloos sloot en de huid bij haar slapen verslapte. Dagmar boog zich teder voorover en legde haar wang tegen die van Norea. Die aanraking brandde als ijs tegen Dagmars huid.

Wat is het effect van langdurig lijden op de geest? Norea zwaaide haar vogelpootjes over de rand van het bed en stond op bibberige klauwtjes. Ze zette haar gele zonnehoed op haar hoofd tegen de zon in de cairn. Met haar handen langs de koude muur tastend ging ze de smalle trap af, liep de keuken in en ging door de halve deur naar buiten en kwam in het ijs terecht. De plotselinge kou benam haar de adem en ze verwonderde zich. Waar was het zeehondje dat van haar besneeuwde vlot aan kwam dansen bij een vioolwijsje? Ze werd gek van haar warrige geest en ze trok haar nachthemd recht. Tikkend met haar stok liep ze over het pad naar de bevroren akker en scheidde brokken ijs van haar stenen die de weg markeerden en vond haar cairn met een gevoel van opluchting zoals alleen blinden kennen. Ze vond haar weg langs de stenen naar het hoofd van de cairn en daar ging ze zitten. De wereld was stervende en Dagmars verdriet was nog maar pas begonnen. Waar was Nyssa? Een klein liedje nu. Misschien het Thuiskomstlied, om hem aan het lachen te maken. Maar ze had het zo warm. Ze moest deze kleren uittrekken. Blind alleen. De glanzende zilveren dooi. In de verte de onherbergzame haven, onbetrouwbaar zoutwaterijs en stormkeringen.

Vanuit haar hol in de jachtwal hoorde Moll de stem die langgeleden samen met haar had gekreund vanuit de bosjes. De broodmagere vrouw stond op en liet Nyssa's lichaam, dat blauw werd, achter en liep door de vreselijke kou.

Norea mompelde vruchteloos in de vrieslucht: Mauw. Wanhopige droge geluiden van uitgedroogde lippen. Ze gleed weg in een bevroren delirium. Ze bekeek zichzelf als van buitenaf en mompelde: Doe de deur open. Ze probeerde haar tenen te bewegen en haar uitgedroogde en opgezwollen tong op te tillen. Ze trok haar pantoffels, haar nachthemd, onderbroek en beha uit en deed haar trouwring af. Ze ging door zes deuren tot ze ten slotte naakt en diep gebogen door de zevende deur kwam. Toen ze haar ogen opsloeg kon ze tot haar verrassing weer zien, maar het enige wat ze kon zien waren Molls uitdrukkingsloze zwarte ogen. En ze kon nu alle vibraties van het eiland horen. Ze kon de geluiden en lieflijke wijsjes in de grotten en in de bomen horen. Uit de zee en de wind zoemden er duizend tokkelende instrumenten in haar oren. Al deze dingen had ze haar leven lang gevoeld en nu kon ze ze duidelijk horen, te veel om op te noemen, al die lange jaren van haar leven een voorbereiding hierop. Ze kon horen dat Nyssa, toen ze probeerde op te staan, zich omdraaide in Molls met rulle aarde bedekte hol.

Ze voelde een traan uit allebei haar ogen vallen en langs haar wang op het ijs vallen. Haar tranen verwarmden de grond, waar twee zachtpaarse leverbloemen ontsprongen. Toen velde Moll een negatief oordeel over Norea en ging ze dood, en bij het krieken van de dag werden de vogels die in elkaar gedoken op hun bevroren takken zaten stil.

Een ijskoude tochtstroom vanuit de open halve deur wekte Dagmar uit de roerloze stilte in huis. Ze hulde zich in haar oude groene kamerjas, haar tenen schrokken terug van de vloer. Haar adem hing boven het koude fornuis, en de houten aanrechtbladen glansden door die onbegrijpelijke ijslaag. De melkpoeder in de kan naast het aanrecht was bevroren; door de open deur dwarrelde er sneeuw om de tafel en de stoelpoten. Ze stak haar koude voeten in koude laarzen en ging naar buiten, waar ze de flauwe sporen van Norea's voetafdrukken volgde naar de akker.

Ongewenste tranen bevroren op haar wangen. Ze volgde de voetsporen door de gelaagde duisternis. De cairn in. Nergens licht in het pikkedonker.

Ze zag de vogelachtige gestalte ineengedoken bij de rotsblokken. Norea lag naakt onder de ijsregen die viel, en met één hand hield ze nog steeds ongewilde kleding vast. Haar hoofd was naar de lucht gekeerd en de stijve oude vingers van haar andere hand waren tegen de platte huid van haar borst gedrukt. Ze was ineengedoken tot een krul van botten en huid. Ze had schuim opgegeven dat nog bevroren aan haar blauwe lippen hing. Haar hoofd lag op een met ijs bedekte rots, haar gele hoed was naar opzij gevallen, haar voeten al opgezwollen tot blauwe wanten. Dagmar zag parelmoerachtige blauwe vlekken op haar haarloze billen, die helemaal waren platgedrukt onder het ijs. Ze probeerde te bukken om haar op te tillen, om haar moeder met haar oude kamerjas te bedekken. Misschien kon ze haar nog warmen. Dagmar ging liggen om haar eigen warmte tegen het koude lichaam aan te drukken, maar de oude vrouw was even stijf bevroren als Danny's spijkerbroeken wanneer ze die in de winter buiten aan de lijn hing om te drogen. Dan maakte ze de knijpers los en stapelde ze op als planken, vouwde ze dubbel en nog eens dubbel en bracht ze naar binnen om te ontdooien. Dagmar tilde haar dode moeder op en droeg haar terug naar het huis, alle berispende en vreemde verhalen van haar moeder nu verstomd. Ze sleepte haar over de drempel van de keukendeur en wilde dat ze nog één keer tegen haar zou zeuren: Dagmar, volhouden. Jij hebt zoveel meer dan ik heb gehad.

Ze legde Norea op de keukentafel, zocht haar moeders tuinjurk op en haalde haar Ierse laarsjes onder het bed vandaan. Ze kleedde het stijve lichaam aan, kamde de vochtigheid uit haar haar en zette de gele hoed die ze zo graag ophad ietsje schuin op haar hoofd. Nu was er niemand meer die zich haar vader herinnerde. Dagmar liet haar moeders handen langs haar zij vallen en op tafel rusten, zoals ze haar hele leven had gestaan, eenvoudig en klaar om verder te gaan. Toen stookte ze het vuur lekker op en ging rusten.

Ze doezelde weg, met haar hoofd op haar arm op de tafel, toen ze Colins munt tegen het raam hoorde, tik, tik, tik. Niet vanavond, dacht ze, en ze vergat dat de plantenkas aan diggelen lag. Ik ga niet met hem uit, niet vanavond.

Dag, mijn liefje, zei Colin, die de keuken binnenkwam.

Doe de deur dicht. Ze is vannacht bevroren.

Wie?

Mijn moeder.

Eindelijk zag hij haar in de duisternis op de tafel liggen. Je kunt haar daar niet laten liggen.

Ik wil hier vanavond geen doodskistenmaker over de vloer hebben met mijn-oprechte-deelneming-hoe-lang-is-het-lijk, zei ze. Dat kan wel wachten tot morgenvroeg. Neem wat te drinken.

Ze schonk hun allebei een glas whiskey in, zette de fles op tafel, bij de hand van haar moeder, en trok haar stoel bij.

Colin zei: Dag, weet je nog toen we jong waren, dat ze een emmer water over mijn hoofd uitstortte toen ik op je raam tikte, de eerste keer nadat je bij me was weggegaan?

Colin was al begonnen met de verhalen en het drinkgelag die het de doden moeten vergemakkelijken om deze wereld te verlaten.

Dagmars woede laaide weer op. Het lichaam lag nog te ontdooien en hij begon al met zijn halve waarheden. Ze dacht: ik was niet degene die wegging. Hij jaagde me weg, en ik was alleen, en nog wel met een baby.

Maar ze zei: Ze was amper negentien jaar ouder dan ik.

Colin pakte de fles en knikte. Geïrriteerd vanwege zijn drinken zei Dagmar: Ik wil haar terug, Colin.

Hij boog zich over haar stoel en probeerde zijn armen om haar heen te slaan en hij zei: De doden in ons hart worden nooit begraven.

Maar ze duwde hem weg en zei: Zij niet, Colin. Nyssa.

Bij Norea's dode lichaam ben je er nog steeds mee bezig! zei Colin. De dag wijkt voor de nacht, Dagmar. Ook jij moet wijken.

Ik denk er niet aan. Zeg dat toch niet meer. Ik denk er niet aan! Norea had gedroomd dat Nyssa terug was op het eiland. Ze zei dat ze het had gezien.

De haven is dichtgevroren, zei Colin. Hoe zou dat nu kunnen? Ik kan er niets aan veranderen, Dag. Hoe vaak moet ik dat nog zeggen? Het is niet aan mij.

Aan wie dan? Colin keek haar strak aan, alsof hij haar weer voor het eerst zag en zei: Laat het noodweer ophouden.

Dagmar pakte Norea's bevroren hand en aaide hem gedachteloos, speelde met haar vingertoppen.

Ze zei: Ik geef het niet op.

Colin zag er geen been in om zich te bemoeien met de roerselen van deze vrouw. Zijn manier was om af te wachten, te stijgen, te dalen, eromheen of eronderdoor te gaan, zoals de zee. Maar Dagmar was een graver en een snoeier. Ze kweekte planten waarmee niemand anders het aandurfde in die onwillige grond, en haar kinderen spoorde ze net zo aan. Wanneer alle andere wortelkelders leeg waren, lagen in die van haar nog aardappels en penen. Zij en Colin waren anders. Het was geen verschil in rede of hartstocht, maar een verschil in het zijnsniveau.

Hij had nooit enig idee wat Dagmar nu weer zou gaan doen en voor het eerst in hun lange leven vroeg hij zich af wat er uit haar woede zou voortkomen. Hij keek omlaag naar de aarde die hij zonder erbij na te denken onder Norea's harde nagels vandaan had gehaald en luisterde. Hij wreef de kleine kruimeltjes fijn tussen zijn duim en wijsvinger.

Dagmar keek strak naar zijn gesloten gezicht en in een extase van hevig verdriet brulde ze: Ga weg jij. En kom niet meer terug. Morgen niet. Nooit meer.

Dingen veranderen van het ene moment op het andere. Colin stond op en liet Dagmar alleen achter bij het lijk van haar moeder, dat met een gele hoed op en oude laarzen aan op de keukentafel lag.

Dagmar wilde hem doodsteken, wurgen, zijn kracht

verbranden. Ze werd veroordeeld voor de misdaad dat ze naar haar dochter verlangde. Ze blies van woede en dat was verstrekkender dan adem, strottenhoofd, tong, tanden, gehemelte, lippen. De oude taal was dood en zij ook. Ze zou de kromme van de tijd stilzetten. Ze zou het niet opgeven. De ijsregen zou voortduren.

Toen hij was weggegaan, ging Dagmar rechtop zitten en zong de lijkzang 'Het verdriet van de moeder', een lied dat ze van Norea had geleerd:

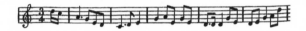

Toen Colin weer binnenkwam, was Dagmar weg. Zelfs geen kaars in de koude kamer. Hij keek naar Norea's gezicht, wasachtig en verstild, en zei zacht: Er is helemaal geen maan. Ik kom bij je zitten. Ik zal je uitgeleide doen uit deze wereld. Ik vraag me af wat je kunt horen daar waar je bent. Ik vraag me af of je kunt zien.

Hij hield haar steenkoude, oude hand in zijn dikke vingers, legde hem toen neer en keek naar zijn eigen handen. Aarde onder zijn nagels.

Die nacht hadden de dorpelingen hun kamer kunnen verlaten en buiten de kou uit de lucht kunnen voelen wegtrekken. Ze hadden kunnen horen dat het ijs begon te kraken en dat de dooi inzette. Ze hadden omhoog kunnen kijken om te zien dat de wolken uit de lucht verdwenen. Maar ze wisten niet dat het noodweer voorbij was. Ze sliepen door, terwijl ze lijdzaam wachtten.

Eén waarheid en de wereld splijt open.

Filosofen voeren methoden en middelen aan, construeren een wereld waarin alle dingen grenzen krijgen opgelegd waarbuiten ze niet goed kunnen bestaan. Eeuwenlang hebben mensen zich vastgeklampt aan zulke waarheden. Maar die Nolans uit Millstone Nether bestonden zonder zich iets van die wetten aan te trekken in de dartele wind, hun ziel overschreed methoden en middelen, en ze maakten baby's uit tranen, ijs uit woede en wekten melodieën op uit het monochordium.

Dagmar vond Nyssa toen ze wegkroop uit het hol van Moll en op weg was naar de oude boerderij. Ze riep haar, sloeg haar dochters armen om haar nek en droeg haar op haar rug door het slinkende ijs en bracht haar binnen door de halve deur, langs haar moeder op de tafel, en naar haar eigen grote bed. Nyssa's voeten waren bloot en bevroren. Haar kleren waren weg. Haar lichaam zat onder de kneuzingen. Maar met een restje adem bewogen haar lippen nog. Dagmar riep de vrouwen van het dorp bij elkaar en ze wikkelden Nyssa in warme dekens en baadden haar vingers en tenen in koel water. Ze voerden haar warme bouillon en kamden de klitten uit haar haar. Ze maakten haar weer gezond. Nyssa sliep en sliep zonder dromen. Ze deed haar ogen open en voelde de bedrijvigheid om zich heen en kon nog steeds alleen met haar linkeroog iets zien. Ze zonk weer weg in slaap, en de vrouwen legden kompressen op haar rechteroog en wensten vurig dat ze weer heel en compleet zou worden. Op de ochtend van de derde dag werd ze wakker, gewikkeld in dikke gewatteerde dekens, haar handen en voeten ingepakt in visserswanten, met een warme muts die over haar haar en oren was getrokken. Onder het zware dek schudde ze haar lichaam uit als een oud visnet. Dagmar wiste haar af met schone lappen en drukte verse warme kompressen tegen haar neus en vingers en tenen en op de rare blauwe plekken die ze over haar hele lichaam had.

Wat is er met haar gebeurd? dacht Dagmar. Ze ging naast Nyssa zitten, nam haar gezicht in zich op en stelde zich voor dat haar groene ogen bewogen achter de oogleden. Ze masseerde telkens weer al haar vingers en tenen en bekeek haar lichaam alsof het een pasgeborene was op alle tekens van leven. Wanneer ze moe was, liet ze de zorg door de anderen overnemen. Ze liep heen en weer over de rillende akker die ontwaakte. Ze schudde aan de appelbomen. Ze tikte tegen de bijenkorven en verstoorde het sluimerende bestaan daarbinnen. Ze liep door de ontdooiende schapenzuring, pakte een dood blad op dat gebarsten op de grond lag en streek met haar tong langs de rijp die nog op de nerven zat. De koude zon was aan het afnemen en ze liep door de ravage van de plantenkas, zette potten op een rij, raapte glas op en ging terug naar Nyssa.

Langzaam kreeg Nyssa het warm en ze werd wakker. Ze was afgepeld tot ze naakt en herboren was. Ze bewoog zich, dronk kleine lepeltjes melassethee en sliep weer verder. Dagmar streelde het kruintje op haar dochters voorhoofd. Het meisje opende haar ogen. Ze kon met beide ogen zien.

Nyssa keek naar haar moeder, die kleiner was geworden terwijl zij weg was, en ze strekte haar armen naar haar uit en kreeg net zo veel verlangende liefde als ze aankon. Ze wist dat die liefde eindeloos en eeuwig was maar uiteindelijk zo voorbijgaand als een vallend blad.

Wat voor dag is het? vroeg ze.

De dag na gisteravond, zei Dagmar.

Ik was bijna bevroren, zei Nyssa. Ik zag jouw handschrift op een foto van mij die aan een boom was geprikt. Het bootje schommelde door de wind en ik was bang dat hij kapot zou slaan tegen het ijs en zou zinken. Er was een raar kielzog en daardoor werd ik naar de kust gezogen. Ik zocht beschutting in het hol van Moll toen ik niet verder kon, maar ze rukte me mijn laarzen uit. Ze liet me voor dood achter. Ik dacht dat ik dood was. Ik hoorde jouw stem die me terugriep.

Dagmar wachtte.

Nyssa zei: Is hij me achterna gekomen?

Dagmar bleef zwijgen en Nyssa veroordeelde Donal. Ze zei: Hij had me laten doodgaan.

Ik kon niet slapen, zei Dagmar. Ik heb me de vreselijkste dingen in mijn hoofd gehaald. Ik heb geprobeerd te voorkomen dat we zouden sterven van de kou en dat het huis tot de grond zou afbranden. Vertel eens wat er gebeurd is.

Waar is oma? vroeg Nyssa.

Dagmar streelde haar voorhoofd en zei: Ze wist niet waar ze was of wie ze was. Ze was vergeten dat jij was geboren en droomde dat je terug was. Ze zei dat mijn vader in huis was. Ze is naar buiten gegaan en doodgevroren in haar cairn.

Nyssa sloot haar ogen.

Dagmar zei: Toen we niet wisten waar je was, heeft ze me geholpen alsof ze mijn eigen twee handen was. Ze droeg foto's van je bij zich en vroeg aan zeelieden: Willen jullie helpen dit meisje te vinden?

Nyssa wachtte.

Misschien was ze nog steeds naar jou op zoek of misschien liep ze datgene wat ze wilde tegemoet. Dat was wat ze altijd deed, troostte Dagmar. Alles is mogelijk.

Er rolden tranen uit Nyssa's ogen.

Dagmar sprak vanuit de plek van gekrenktheid. Nu kan ik je zien en je aanraken, maar ik heb je voorgoed verloren.

Nyssa wilde zeggen: Ik zal nooit meer bij je weggaan, maar dat kon ze niet.

De hele dag, hun zielen één, probeerden ze elkaar te troosten.

Dagmar keek naar haar treurende dochter en zei met alle tederheid van een oude vrouw voor een jonge vrouw: Er blijft altijd iets achter. Dat is de wet. Jij hebt meer gezien dan ik ooit heb gezien. Je hebt zoveel meer dan ik ooit heb gehad. Zorg ervoor dat je beter wordt. Neem je besluit.

Vanaf de scherpe rand sprak Nyssa haar gram over hem uit: Hij blijft in zijn huis en droomt over grote concerten geven. Laat hem er maar blijven!

Het noodweer was voorbij en er waren dingen te doen. Op de keukentafel wachtte een oude vrouw met een gele strohoed op een begrafenis.

De mensen van het dorp kwamen met hun violen en gitaren bijeen voor Dagmars huis. Ze kwamen binnen met een vurenhouten kist en tilden Norea erin. Ze wikkelden Nyssa in dekens en droegen haar naar buiten waar de aarde was overstroomd met smeltwater. Honderd violen en fluiten en trommels begeleidden de vurenhouten kist die uit de deur van het huis kwam waar een jong meisje uit Ierland haar leven had opgebouwd. Het koor van violen overstemde het gebulder van de oceaan. Het hele eiland smolt, stroomde in lange glanzende stromen naar de zee, het land een en al nattigheid, de lucht verzadigd van water. Het gejammer, gekras en gezang van honderd violen. Ze speelden 'Vat met violen' en 'Oma's laarsjes'. Ze lieten de vurenhouten kist in de aarde zakken, en Dagmar zong in de taal die ze haar moeder had horen spreken, maar die ze nooit met haar had gesproken:

É ho 'ro's 'na eheil air m'air.

En de andere vrouwen zongen met haar mee:

'S mór an nockd a tha mi 'caoidh

Madeleine stapte naar voren uit de groep, boog zich en pakte een handvol fijne aarde en nam Nyssa's door bevriezing gewonde hand, hield hem vast en vulde hem met aarde. Toen hief de jonge vrouw haar arm hoog boven haar hoofd alsof ze met een bijl van klei door de lucht zwaaide en met één opgetrokken wenkbrauw liet ze de aarde boven op de vurenhouten kist vallen.

Vol overgave groef Dagmar in de ontdooiende grond. Ze liep door de verbrijzelde plantenkas, ruimde er op en stapelde haar gebroken potten op. Overal waren bomen omgevallen. Ze liep de cairn in en streelde twee tere leverbloempjes op harige stengels, kleine zachtpaarse plekjes in de kou.

Ze zorgde voor haar dochter, waarbij ze zich voelde als de helften van een kastanje die was opengebroken. Ze keek en wachtte en wilde haar dicht tegen zich aan drukken, haar armen om haar schouders slaan, met haar handen door haar rode haar strijken, haar ogen verslinden. Maar zodra het meisje op de been was, weerde ze elke aanraking af. Ze doolde rond en wilde niet in het huis slapen. Ze nam een paar dingen mee en ging aan zee wonen in een oud zomerhutje van vissers.

Dagmar, die niet wilde zwichten voor moeilijkheden, liet haar gaan. Nu was Dagmar voor het eerst in heel haar lange leven alleen.

Toen ze takken en omgehakte bomen opstapelde om te drogen keek ze om zich heen en dacht: De ondergroei zal het goed doen met zo veel licht en lucht. Er zal heel wat zon doorheen schijnen voor nieuwe varens en grassen. Er zijn nu ook zoveel holle bomen. De kleine, zwakke exemplaren zullen opbloeien.

Oude mensen slapen niet goed. Ze hakte nog meer en probeerde zich uit te putten. 's Avonds liep ze de heuvel af om naar de zee te kijken. De drieteenmeeuwen nestelden in de kliffen, kleine parelgrijze meeuwen zeilden in grote kringen, stegen op van het water en dwarrelden rond als door de wind opgejaagde sneeuwvlagen. Ze herinnerde zich hoe ze als kind achter Norea aan liep, leerde om de sterkste zaailing te verzorgen en de rest uit te rukken, dat ze het wolkendek kon opentrekken en dat ze dingen liet groeien. Sinds het noodweer schoten de zaailingen geen wortel onder haar handen zoals ze vroeger hadden gedaan en ze vroeg zich af of de krachten van een vrouw opgebruikt kunnen raken of kunnen worden doorgegeven. Terwijl ze bij de vissershut stond, luisterde ze naar Nyssa's gezang en haar stilte. Ze herinnerde zich het meisje met al dat krullerige rode haar, dat tijdens een zomers kampvuur uit de appelboom sprong en op haar viool een reel speelde voor de dansers. Al die muziek.

Op een dag leende Dagmar een viool voor Nyssa en liet hem achter bij de deur van de vissershut. De volgende avond hoorde ze getokkel en weergalmende tonen. Ze hoorde het holle gekras van de strijkstok die ver van de kam streek. Ze hoorde een enkele heldere, klare toon. Ze luisterde naar muziek die doorschouwt, muziek die met een open oor werd gespeeld. In één noot alle noten, boventonen en harmonieën die samenklonken, onwaarneembare trillingen die wachtten tot ze gehoord werden. De moeder luisterde en bleef stil. Hier, in de muziek van haar dochter, waren alle geluiden van het eiland aanwezig. Dit was de macht die zaailingen kon laten groeien en wolken kon openbreken.

En toen Dagmar die avond in haar oude bed ging liggen, terwijl de muziek van haar dochter nog naklonk in haar oren, dacht ze erover na hoezeer ze haar leven had beperkt. Tot planten en zaaien. Tot een minnaar en kinderen en haar moeder. Ze had alles weggesnoeid dat haar had gevraagd iets anders te zijn dan wat ze was. Ze had naar beste vermogen liefgehad. Was dat genoeg geweest? In haar eenzaamheid hoopte ze nog steeds op het tik, tik, tik van een munt tegen het raam. Toegegeven, als ze het zou horen, zou ze strammer dan voorheen opstaan om naar buiten te gaan en in het donker met hem samen te zijn. Om nog een keer samen te zijn met de waterrijke die niet in haar wijsheid leefde, maar in die van hem.

Er is een tijd voor het getinkel van ijs en een tijd van overlijden. Er is een tijd om iets op de proef te stellen en een tijd voor competitie. Er is een tijd om te rusten.

Nyssa werd daarbeneden wervelend rondgedraaid en ontdaan van alles wat ze eens was geweest. Haar aderen werden gevuld met ijs en ze was in de diepste diepte, een diepere diepte. Daar bereikte ze een stilte die voorafgaat aan een nieuwe taal. Ze werd sterker en liep langs de kust en de jachtwal. Ze pakte de kleine viool op die Dagmar bij de deur had achtergelaten en vond er vreemde, nieuwe geluiden in. Toen ze de geluiden probeerde te noteren, leken ze helemaal niet thuis te horen op een notenbalk. En toen op een dag, twee volle seizoenen na het noodweer, schreef ze een nieuwe melodie op die ze ongevraagd in zichzelf hoorde, met vingertoppen die langs haar huid streken en het ritme van een basso ostinato. Die dag treurde ze intens: Verdwenen is mijn lief, mijn lieve schat.

Ze liep langs de kust om Donals zus te zoeken. Bij haar deur riep ze: Madeleine!

Madeleine was aan het werk op een groot stuk triplex. Ze deelde het triplex in tweeën met twee horizontale lijnen, een groene en een blauwe. Boven de groene lijn, regelmatig verdeeld over de breedte van het hout, waren vier bomen. Onder elke boom was een ander schepsel: een koe, een konijn, een papegaaiduiker en een hert. Onder de blauwe lijn was een zee vol leven, een walvis en dolfijnen, zeehonden en kabeljauw. Ze schilderde een kleine rand om het hele schilderij, waarin allerlei schepsels waren verwerkt, bovenaan vogels, zoogdieren aan de zijkant en vissen onderaan. Ze noemde het schilderij *De wereld* en schreef die woorden in primitieve letters tussen de vissen door.

Toen Nyssa aanklopte, deed ze open, haar kromme handen onder de verf.

Waar is Donal? vroeg Nyssa.

Madeleine zweeg en zei: Ik heb beloofd dat nooit te vertellen.

Weet je het wel?

De vrouw knikte. Natuurlijk.

Wil je me helpen om hem te vinden? vroeg Nyssa.

De oudere vrouw stapte naar buiten en zei: Hij had niet gevraagd om wat hij met jou heeft gevonden. Hij is erg veranderd.

Maar hij heeft het gekregen, zei Nyssa. Waarom denkt hij dat hij zich kan schuilhouden? Alles is de prijs van alles.

Hij is bang, zei Madeleine.

Zijn lippen hebben mijn lippen aangeraakt, zei Nyssa. Onze snaren hebben samengespeeld alsof ze één waren.

De oudere vrouw zei: Wil je mijn schilderij zien?

Ze nam Nyssa mee naar binnen om het grote stuk triplex te bekijken. Nyssa bekeek Madeleines vertrouwde felle kleuren en lichte toets, vliegende wezens en zwemmende wezens. Ze vroeg: Waarom is hij bang?

Met haar ogen vol tranen antwoordde Madeleine: Dat weet ik niet. Dat weet je nooit van een ander. Ik weet alleen dat ik van hem hou. Ik zou alles doen om een eind aan zijn lijden te maken. Ik zou mijn leven voor hem geven en zijn lot willen delen.

Dit was mededogen.

Nyssa staarde naar Madeleines zee, de walvis die oprees uit het water alsof hij met zijn grote tong de koe wilde kussen. Door het mededogen van zijn zus brak het broze bot van haar oordeel.

Vind hem, zei Nyssa. Zeg hem dat het zijn lot is om niet weg te lopen.

En zo kwam het dat Donal, die nu met een houten been liep, terugkeerde naar de kust van Millstone Nether en zijn contrabas meedroeg.

De mensen van het eiland maakten er grapjes over toen ze hem op weg zagen gaan naar Nyssa's kleine huisje bij de zee: Het zit die Nolans in het bloed. Ze boeten netten met wijde mazen. Vanavond hebben we een feestje.

Ze verzamelden zich in het paalhuis om het meisje met al dat krullerige haar en de man met het houten been paardenhaar tegen schapendarm te horen zetten. Samen speelden ze hun 'Passacaglia', en daarna andere dingen. Die avond zweeg Donals contrabas vele malen terwijl Nyssa haar nieuwe geluiden en ritmes speelde, onge-vormde dingen die niemand anders dan zijzelf mooi vond. Toen ze klaar was, stond Colin op en zei: Nu iets wat ik 'De dans van de ijsregen' noem. De jonge meisjes stonden op en gingen dansen.

De mensen van Millstone Nether riepen om meer en

speelden samen de oude Ierse en Schotse dansliedjes. Ze waren blij dat ze Nyssa weer hoorden spelen, Nyssa, die haar eigen weg volgde en Donal, die met haar meeging. Ze waren blij het geluid te horen dat alleen die twee uit hun viool en contrabas konden wringen. Het liet hen koud wat eruit zou voortkomen. Ze waren gelukkig als ze hun oude wijsjes konden spelen. Ze accepteerden het allemaal zoals de zee streelt of vernietigt wat er op zijn golven valt.

Tegen de ochtend, toen iedereen weg was en Donal sliep – zijn houten been stond tegen de muur – hoorde Nyssa Molls pot in het bos. Ze stond op en ging af op het luide gekreun bij het hol dat met rulle aarde was bedekt.

Ze benaderde Moll behoedzaam. Ze luisterde naar de pot en naar de duistere die haar klaagzang deed. Toen Moll zweeg en ze de pot en het bot neerlegde, vroeg Nyssa: Wat voor een bot is dat?

Je stelt te veel vragen.

Is het het dijbeen van een man?

Van te veel kennis word je oud.

Welke man?

Van degene die oppermachtig wordt genoemd.

Nyssa vroeg: Wie was je voordat je hier kwam?

Toen richtte Moll zich in haar volle lengte op, langer dan alle mannen van het eiland. De oogsteen zat in een zakje om haar nek geknoopt. Haar uitdrukkingsloze zwarte ogen reflecteerden het licht van Nyssa's blik. Met een smekend gebaar strekte ze haar vingers uit naar de hemel en toen sloeg ze haar lange armen in een solitaire omhelzing om zich heen. Haar blote voeten kromden zich om de overhangende rotswand en ze richtte haar blik op de rekken op de kust waar de sleepnetten hingen te drogen. Ze zei dat ze zich haar vroegere leven niet kon herinneren, dat ze in een toestand van voortdurende rouw was gebracht maar niet wist hoe of waarom. Ze zei dat dat besef verloren was gegaan in het ruim van een schip of misschien in de zee. Ze zei dat wat verloren is gegaan moet worden teruggevonden, omdat het onder het wateroppervlak altijd blijft treuren, maar dat ze niets kon vinden en daarom onverzadigbaar in het bos leefde. Ze zei dat er nog meer muziek te spelen was en dat Nyssa dat zou kunnen doen. Ze zei dat een vrouw die de duisternis betrad in vroeger tijden werd vereerd als ze terugkwam. Ze vertelde dat mensen optochten hielden en dat de vrouwen hun rechterkant opschikten met mannenkleding en dat de mannen hun linkerkant opschikten met vrouwenkleding en dat ze donker en licht bier voor haar inschonken. Ze musiceerden voor haar. Ze zei nog eens dat muziek een soort oefening voor de dood was. Toen zweeg ze en ze daalde af naar de kust en verdween in het ochtendgloren. Nyssa keek haar na. Er was meer van haar. Altijd meer. Daar.

Dankwoord

Een van de oudste verhalen over de afdaling van een vrouw in de onderwereld is het Soemerische verhaal over de godin Inanna. De beste vertaling hiervan die ik ken is *Inanna: Queen of Heaven and Earth* van Diane Wolkstein en Samuel Noah Kramer (Harper & Row, 1983). De vertelling over Inanna's huwelijk met Dumuzi en haar heldhaftige ontmoeting met Ereshkigal in de onderwereld werd vastgelegd in spijkerschrift door middel van een rieten schrijfpriem op kleitabletten, die dateren uit het begin van het tweede millennium. De levenskracht en de moed van Inanna hebben diepe indruk op me gemaakt. De eerste regel van het verhaal over haar afdaling luidt: Vanuit het Grote Boven opende ze haar oor voor het Grote Beneden. In het Soemerisch is het woord voor 'oor' hetzelfde als voor 'wijsheid'.

Later vertelt Homerus in de Ode aan Demeter het verhaal van Persephone, die niet uit vrije wil de onderwereld betreedt, zoals haar Soemerische voorgangster, maar die werd geroofd door Hades, en het verhaal van haar treurende moeder, Demeter, die naar haar op zoek gaat. De mooiste vertaling van dit verhaal is *The Homeric*

Hymn to Demeter, onder redactie van Helene P. Foley (Princeton University Press, 1994).

The Dictionary of Newfoundland English, onder redactie van G.M. Story, W.J. Kirwin en J.D.A. Widdowson (University of Toronto Press, 1982) is van onschatbare waarde geweest. Traditionele muziek en teksten heb ik gevonden in *The Irish Woman's Songbook* van Carmel O'Boyle (The Mercier Press, Cork en Dublin, 1986), in *Traditional Folk Songs from Galway and Mayo*, verzameld en geredigeerd door Mrs. Costello (The Talbot Press, Dublin, 1923), en in *Old Irish Folk Music and Songs: A Collection of 842 Irish Airs and Songs Hitherto Unpublished*, van P.W. Joyce (Longmans, Green and Co., Dublin, 1909). Ik heb veel eigentijdse kunstenaars beluisterd die met traditioneel materiaal werken. Ik ben dank verschuldigd aan de Trinity Dance Company voor zijn inspirerende choreografie en voorstellingen.

Ik ben Ann Southam heel erkentelijk voor de gesprekken die ze met me voerde over compositie, en Joel Quarrington voor zijn deskundige, gevoelige en geestige antwoorden op vragen over de contrabas en het repertoire voor strijkers. Ik was met name erg blij met de 'Passacaglia'. Verder wil ik Barbara Moon en D.D. in New York bedanken voor het kritisch lezen van de tekst, Alice Van Wart en Cheryl Carter, Brian Mackey en Sandra Campbell voor hun opmerkingen bij de verschillende tekstversies, en Bruce Westwood en Hilary Stanley voor hun grote literaire enthousiasme.

Een speciaal woord van dank voor mijn uitgever en

redacteur Cynthia Good en voor Mary Adachi voor het
redigeren en voor de gesprekken, die van grote invloed
zijn geweest. Er waren momenten waarop alles prachtig
samenviel.

Madeleine Echlin, Cynthia Lee, Adam en Ann Winter-
ton, Leslie en Alan Nickell wil ik bedanken voor de genegenheid die ze me hebben geschonken, die 'seeketh
not itself to please, Nor for itself hath any care, But for
another gives its ease...' Ross, mijn man, en Olivia en
Sara ben ik elke dag dankbaar omdat ze het bestaan met
me delen. Ik meen dat Blake schreef: 'Dankbaarheid is
de hemel zelf.' Dat het zo mag zijn.